AI時代を生き抜くための

仮説脳

竹内 薫

リベラル新書

はじめに　仮説の立て方次第で未来は劇的に変えられる！

ＡＩ時代に思い通りの人生を歩んでいる人がしている思考法

「あのとき、こうしておけばよかった……」

誰もが、このような後悔の念に駆られたことがあるのではないでしょうか。

とはいっても、私たちは未来を予見できるわけでも、予言者でもありません。この先の未来にどんなことが待ち構えているのか知る術《すべ》はないのです。

「なんとかして未来を変えたい！」

「最良の結果を導き出したい！」

そんな前向きな気持ちがあるからこそ、あなたはこの本を手に取ったのではないでしょうか。たしかに、今の世の中を見渡してみると、ＡＩなどテクノロジーの急速な進化により、流れが激しく先行きが不透明な時代です。たとえば、２０２２年の終わりに登場して、またたく間に一世を風靡するようになった対話型ＡＩのチャットＧＴＰ。どんどん使えという人もいれば、危険だから禁止すべきだと主張する人もいて、世界中が大騒ぎになっています。でも、そんななかでも時代の流れを確実に捉え、主体的かつ柔軟に意思決定でき、行動でき、成果を上げ続けている企業やビジネスパーソンがいるのも、また事実なのです。

では、そうした仕事ができる人の能力とは、果たして生まれ持った才能なのでしょうか。あるいは、あなたには神様が味方してくれていないのでしょうか。

いいえ、それは大きな間違いだということを、まず皆さんにお伝えしたいのです。仕事ができる人や思い通りの人生を歩んでいる人とそうでない人の違いはたった一つ。

それは、**すべての物事に対して「仮説」の思考をするかしないかだけなのです。**

これまでは、過去の成功やうまくいったパターンさえやっていれば、ある程度いい結果を導けたわけですが、今は、それまでのやり方がそのまま通用しないニューノーマルの時代といわれています。**変化が激しく先が読めない現代社会では、常に未来に目を向けて「こうなるかもしれない」という仮説を立てながら物事を奥深く考え、スピーディに意思決定や行動できる人だけが生き残っていけるのです。**

つまり、どれだけ正確な仮説を立てられるかどうかで、あなたの未来を劇的に変えられるというわけです。

「網羅思考」→「仮説思考」のシフトチェンジ

仮説とは、「おそらくこうなるかな」と予測しながら、自分なりに想定した「仮の答え」のこと。この仮説を立てる思考法は「仮説思考」と呼ばれています。

アマゾンなどのネット書店で「仮説思考」と検索すると、実にさまざまな人が書いた仮説思考についての本を見つけることができますが、「どれも難しそうだな」と感じる人もいるのではないでしょうか。

たしかに、仮説思考というとなんだか一流の経営者やビジネスパーソンが駆使する難しそうな思考法という感じがしますが、私が常日頃、講演などで申し上げていることは、**「世の中はすべてが仮説で成り立っている」**ということです。

実は、私たちはビジネスの現場だけではなく、日常生活でもごく当たり前に仮説を駆使して生活しているのです。

たとえば、夏休みに帰省する際に、「帰省ラッシュで新幹線はきっと混雑する」と予想を立てる。こうした考えに及ぶ背景には、過去の経験やテレビで新幹線のホームに人があふれている映像を見た記憶などから、「切符を早めにおさえておくべき」という仮説を立て、それを検証し、意思決定と行動に結びつけているわけです。

もっと身近な例でいえば天気。出かけるときに空の様子を見て、「今日は雨が降るかもしれないな」と考えるのも立派な仮説です。

「雨が降るかもしれない」という仮説に対して、「では、降水確率は何パーセントなのか」とスマホなどで調べる。これが、立てた仮説の検証です。降水確率が80パーセントであれば、「だったら、傘を持って出かけたほうがよさそうだ」という行動に結びついていくわけです。

さて長年、日本人の働き方を見ていると、あることに気づきます。それは、仮説ではなく「網羅的《もうら》」に仕事を進めている人が多いことです。

網羅的とはその言葉通り、考えうるあらゆる事象を抽出し、限りなく多くの情報を集め、徹底的に分析してから結論を出すという思考プロセスです。こうした思考プロセスは、「石橋をたたいて渡る」という日本人が持つ緻密さや完全主義をあらわしているといえるでしょう。一見すればこのほうが後々大きな失敗もしないし、効率がいいと思われがちですが、ビジネスの現場では意思決定において、時間の制約があり、

【図1】網羅思考と仮説思考の違い

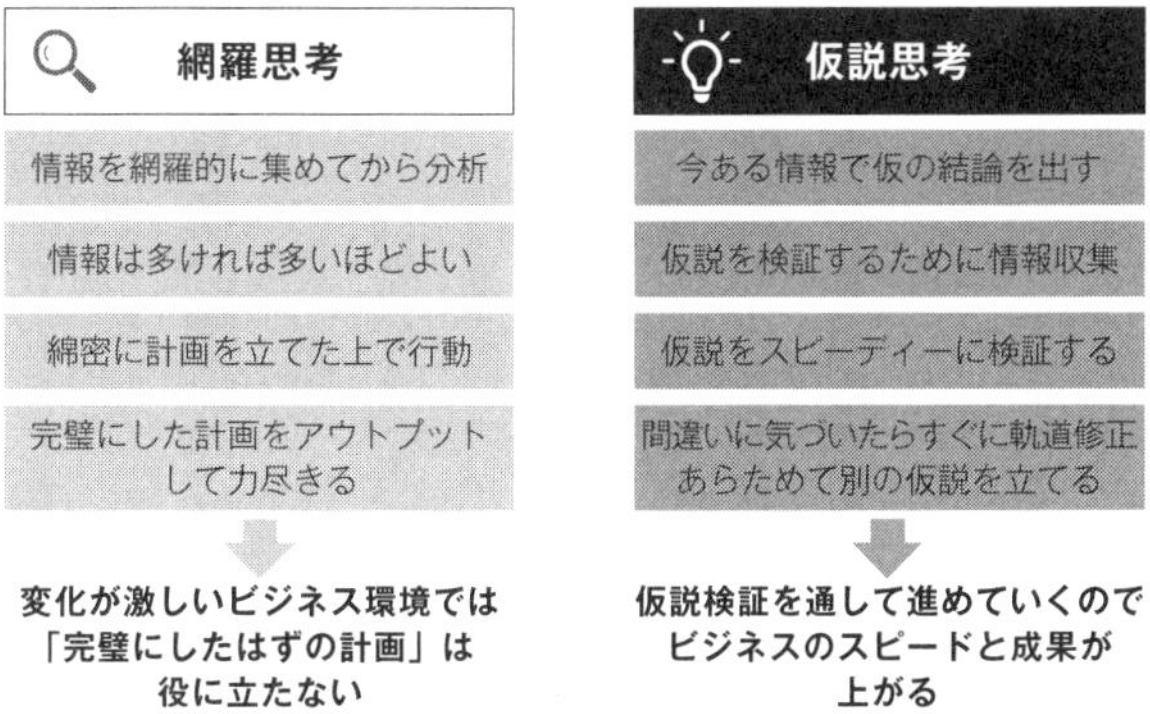

🔍 網羅思考	💡 仮説思考
情報を網羅的に集めてから分析	今ある情報で仮の結論を出す
情報は多ければ多いほどよい	仮説を検証するために情報収集
綿密に計画を立てた上で行動	仮説をスピーディーに検証する
完璧にした計画をアウトプットして力尽きる	間違いに気づいたらすぐに軌道修正あらためて別の仮説を立てる
⬇	⬇
変化が激しいビジネス環境では「完璧にしたはずの計画」は役に立たない	**仮説検証を通して進めていくのでビジネスのスピードと成果が上がる**

出典：羽田康祐 k_bird 著『問題解決力を高める「推論」の技術』（フォレスト出版）を参考に作成

スピーディな解決がどうしても求められます。

そのような場合に網羅的な思考プロセスで情報の収集や分析に時間が取られ、肝心な結論をないがしろにしてしまうことがあります。

一方で、**仮説を立てる場合には結論ありきの思考プロセスなので、いきなり多くの情報収集をせず、現状持っている情報から仮説を立てて分析をすることができる**のです。

どんな仕事でも**スピードが求められる時代、私たちに必要な思考プロセスこそ「仮説を立てる」ということ**であり、「GAFA※」に代表される世界的な成功企業の思考プロセスでもあるのです。先に述べた、仕事ができる人の

※ GAFA…米国のIT企業グーグル（Google）、アップル（Apple）、フェイスブック（FaceBook 2021年10月よりメタに社名変更）、アマゾン・ドット・コム（Amazon.com）の頭文字をつないだ造語

多くは、往々にしてこの仮説を駆使してビジネスを推し進めているのです。

正解がない時代だからこそ求められる仮説を立てる力

「正解がない時代」「生き残るのが難しい時代」

近年、このようなことをよく耳にします。

たしかに、現代は過去の成功パターンはあっという間に陳腐化し、まったく通用しなくなります。そう感じている人は多いのではないでしょうか。

学生時代の勉強であれば、多くの場合は正解があり、どんなに時間をかけてもただただ正解を求めればよく、正解にたどり着けば先生に褒めてもらえたわけです。

ところが今、ビジネスというフィールドに一歩足を踏み入れると、特に学生時代に優秀だった人ほど完璧さを求め、これまで求めていた正解がどこを探しても見当たらない。いわば**完璧主義者ほど〝網羅〟という罠にはまってしまい、いくら頑張っても成果を生み出すことができない。より多くの情報を集めて完全に自信が持てる状態にならなければ物事を決められない、前に進めず生産性も上がらずに結果として時間に追われ、やることは多いのに結果の出ない日々を送ってしまう**のです。

そうした悩みを解決するたった一つの方法、それがこれから本書で解説していく「仮説を立てる力を身につける」ということです。

私は東大の教養学部、理学部を卒業し、これまで科学畑で生きてきた人間です。科学についての講演やテレビでも科学番組のナビゲーターをやったり、サイエンスライターとして科学についての著書を２００冊以上出版してきました。

そんな私が申し上げたいのは、**仮説を立てる力とは、科学のような純粋なパターンや形式に多く触れていることで、おのずとその思考が身についていくということ**です。

なぜなら、科学の世界というのは未だ人類が解明していないありとあらゆる仮説を立てながら、それをもとに分析や実験をおこなっているからです。

私がよく例えとして皆さんにお伝えするのは、「仮説とは柔道の型のようなもの」ということ。柔道においてしっかりと型の練習をしないでいきなり実践の試合をしても勝つことはできませんよね。

仮説にも柔道のような型（思考のパターン）があり、そうした思考パターンをいくつも練習することでビジネスにおいても仮説の思考プロセスが身についていくのです。


もちろん、**仮説を立てるというのは科学の世界だけの思考法ではなく、人間が生きていくうえで当たり前にやっている「生存戦略」の原点**ともいえます。これが先に述べた「世の中はすべてが仮説で成り立っている」という言葉の本質であり、仮説というものがなければ、何かを検証することも意思決定することもできません。

これまでビジネスで成功を勝ち取ってきた人というのは、そうした仮説のなかでも究極（アルティメット）ともいえる仮説を発見した人たちです。アップル社のスティーブ・ジョブズが「iPhone」で世界を変えたように。

こうした究極の仮説とは、私たちの頭のなかにある思考から始まります。

正解がない時代に、ビジネスパーソンは、より短時間で正確な思考や行動を導き出し、生産性をアップさせてこの厳しい世の中を生き残っていくことが求められます。

そのための**生存戦略として、「仮説」が極めて有効な武器となる**のです。

本書では、仮説というものをどのように道筋を立てて考えていけばよいか、結果としてそれをビジネスシーンでどう活かしていけるかというコツを、時おり科学を交えながら丁寧に解説していきます。

本書を読み進めるにしたがって、あなたの仮説が少しでも「究極の仮説」に近づけることを祈っています。

竹内　薫

ＡＩ時代を生き抜くための　仮説脳／目次

第1章 仮説こそ「生存戦略」に必要な武器となる

第2章 3つのプロセスで「究極の仮説」を生み出す

第3章 今の「世の中」を仮説脳によって読み解く

第4章 アルティメットな仮説を立てる条件

第5章 仮説を補強するチームコミュニケーション

第1章

仮説こそ「生存戦略」に必要な武器となる

絶滅と進化を繰り返してきた生物の歴史

第1章では、「仮説こそ『生存戦略』に必要な武器となる」と題し、現代社会における私たち人間の生存戦略について述べていきます。

生存戦略を立てる――。

これは、いつの時代であっても私たち生物に課せられた至上命題です。

ビジネスの世界であれば、成功することも重要ですが、生物にとっては、何よりもまずは生き残ることが最優先課題であり、そのためにはさまざまな戦略を打ち出していかなければなりません。

変化が激しく、急速かつ多種多様なビジネスモデルが入り乱れる今の時代というの

は、まさに生物が絶滅と進化を繰り返してきた歴史に似ています。

そこでまず、生物の生存戦略の歴史を簡単にひも解きながら、今の時代で企業が生き残るためのヒントを探ってみたいと思います。

現在、地球上には８７０万種以上の生物がいると推定されていますが、地球46億年の歴史のなかで、幾度となく襲った大きな環境変化のなかで生物は絶滅と進化を繰り返してきました。

今からおよそ38億年前に生命が海の中で誕生し、５億４０００万年前のカンブリア紀に入ると海中の生物は爆発的な進化を遂げ、やがてシダ植物や両生類などが海から地上へと上がり、陸での生活を始めたのが４億４０００年前のシルル紀からデボン紀。

３億５０００万年前になると地球上の酸素濃度も高くなり、地上には植物が生い繁ったことにより昆虫類が増え、地上に進出した生物たちはさらに進化を遂げて現在に至ります。

こうした生物の歴史である38億年間の生存競争は、実に過酷なものだったということは想像にかたくありません。

たとえば、地球が丸ごと凍ってしまう「スノーボールアース」は3度起こり、そのたびに多くの生物が絶滅してしまいました。

また、「海洋無酸素事変」と呼ばれる海水が著しい貧酸素の状態となる出来事が何度も起き、そのうちの一回では、地球上のおよそ95パーセントの生物が絶滅したとされます。

さらに、皆さんがよくご存じなのは、６６００万年前のジュラ紀の終わりに起きた小惑星の衝突による恐竜の絶滅でしょう。

その後、私たち人間の種の起源となる哺乳類が誕生したのが2億３０００万年前、そして現生人類が誕生したのはほんの20万〜30万年前です。

現在、私たち人類は、こうした厳しい環境変化を経験しながら進化してきた歴史があるのです（参考：ＪＡＭＳＴＥＣ「海と地球を学んじゃうコラム」）。

食物連鎖の下層にいる生物たちの生存戦略

イワシのような小魚にしても、群れで渦を巻く「トルネード」と呼ばれる形で泳ぐのは、大きな生物に見せかけることで外敵から身を守り、そして大群に紛れることで自分が食べられる確率を減らしているのです。

このように、食物連鎖の下層にいる生物たちは、群になって捕食確率を低減するという生存戦略があるからこそ、今もなお絶滅せずに生き残っている「サバイバー」だといえるのです。

こうした生存戦略というのは、現代を生きる私たち人間も同じです。

人間も生物であり、人間がこれまでの歴史のなかで創造してきたビジネスが生物の絶滅と進化と似ているのは、ある意味自然なことなのかもしれません。

予測不能な今の時代に必要なこと、それは生存競争で生き残るための戦略。人間の場合、他の生物にはできない生存戦略があります。それは「もしも〜だったなら？」と頭の中でシミュレーションすること、すなわち仮説思考なのです。

そして生き残りのためのキーワードは、**「第４次産業革命」**です。

労働者の半分がＡＩやロボットに仕事を奪われる⁉

第４次産業革命とは、「ＩｏＴ（モノのインターネット）」や「ＡＩ（人工知能）」「ビッグデータ」の活用によりもたらされる技術革新のこと。第１次産業革は、18世紀末以降の水力や蒸気機関による工場の機械化、第２次産業革命は、20世紀初頭の分業に基づく電力を用いた大量生産、第３次産業革命は、１９７０年代初頭からの電子工学や情報技術を用いたオートメーション化。これらに続く技術革新が第４次産業革命なのです。

第４次産業革命には、大きく2つの特徴があります。

一つ目は「ＩｏＴ（Internet of Things＝モノのインターネット）」と「ビッグデータ」

【図２】第１次産業革命から第４次産業

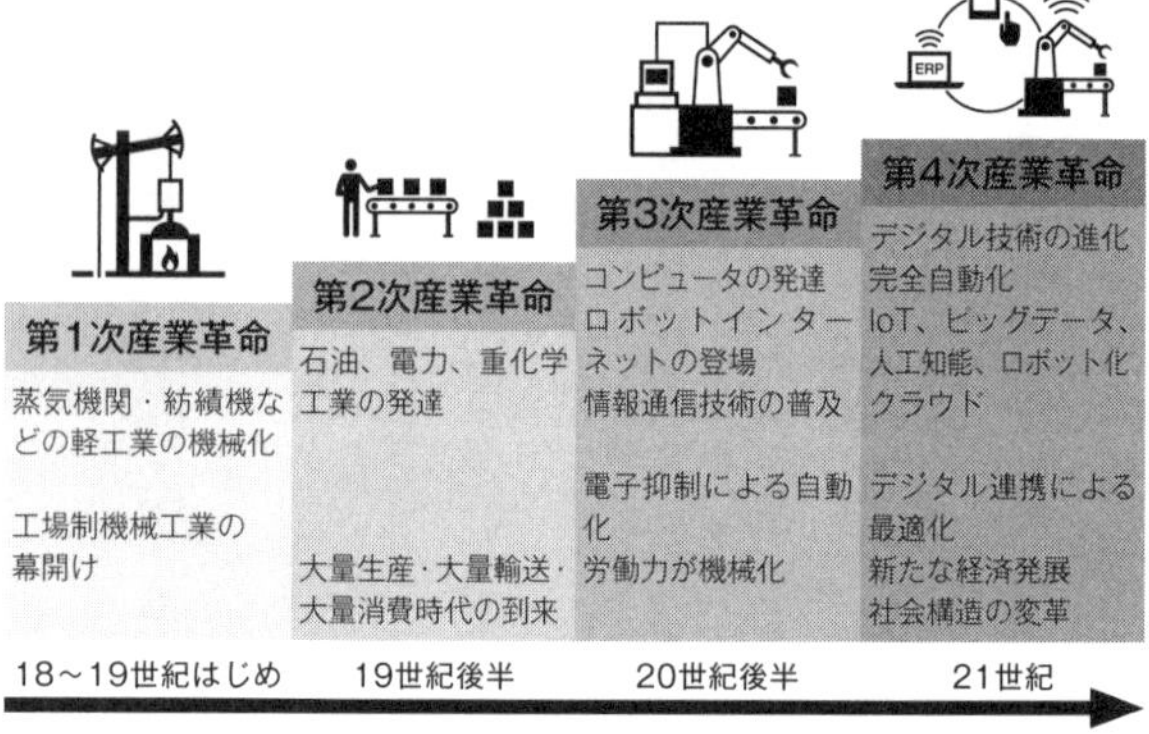

出典：『総務省「第４次産業革命における産業構造分析とIoT・AI等の進展に係る現状及び課題に関する調査研究」（平成29年）』ほかより作成

です。

個人の健康状況から、気象、交通、工場の機械の稼働まで、あらゆる情報がデータ化され、それらをネットワークでつなげて、解析することで新たな付加価値が生まれています。

二つ目は「ＡＩ（Artificial Intelligence＝人工知能）」と「ロボット化」です。

人間がコンピュータに対してあらかじめ必要と思われる要素をすべて与えなくても、コンピュータ自らが学習し、さまざまな判断をおこなうことが可能になりました。

加えて、従来のロボット技術もさらに精緻な工作物が可能となり、複雑な工作物の製造もできるようになりました。

こうした技術革新により、これまでのビジネスモデルや私たちの生活のあり方が大きく変化しているのが第４次産業革命です。ここまでは、皆さんもニュースなどでたびたび耳にしているのではないでしょうか。

さて、問題はここから先の話になります。

こうした技術革新によって、私たちの未来はどうなっていくのか。ここで必要になってくるのが、あなたが生存戦略を立てるうえで必要な「仮説」というわけです。

実に、さまざまな仮説を立てることができます。ただし、ここで重要なのは、ただ漠然と仮説をたくさん立てるだけでは生存競争で生き残れないということ。

たとえば、第４次産業革命によっていずれ消える仕事と残る仕事とを綿密な仮説をもとに分析している研究者たちがいるのをご存じでしょうか。

イギリスのオックスフォード大学のカール・フレイ博士とマイケル・オズボーン准教授が２０１３年に発表した「The Future of Employment　雇用の未来」という論文では、米国労働省が定めた７０２の職業を、クリエイティビティ、社会性、知覚、細かい動きといった項目ごとに細かく分析しましたが、今後10～20年間に技術革新により アメリカ国内の労働者の47％が仕事をＡＩやロボットなどにとって代わられるリスクが高いという結果が出され、世界中の大きな話題となりました。

「これはアメリカの話でしょ？」と思った方もいるかもしれませんが、日本を分析対象として、２０１５年に野村総合研究所がフレイ博士とオズボーン准教授との共同研究で国内６０１種類の職業について、それぞれＡＩやロボットなどに代替される職業を分析したところ、今後10～20年後には、日本の労働人口の約49％が就業している職業がＡＩやロボットなどに代替される可能性が高いという、驚きの研究結果がはじき出されたのです。

どんな職業が消え、どんな職業が生き残るのか

産業革命。技術革新。

表向きには、実に聞こえのいい言葉です。なぜなら、こうしたイノベーションが私たちの生活を、より便利に、快適にしてくれているからです。

ですが、こうしたイノベーションの裏には必ずといっていいほど、テクノロジーの進化による代替がつきものだということも理解しておかなければなりません。わかりやすい例として、ここでは音楽流通を取り上げたいと思います。

音楽流通の歴史をたどると、昔はレコードが主流でした。

それがCDの登場によってレコードが廃《すた》り、そしてCDは現在の iTunes に代表される配信ビジネスに市場の多くを奪われてしまいました。

【図3】日本で自動化される可能性が高い職業と低い職業

自動化される可能性が最も高い職業

職業名	自動化が可能になる確率（%）
電車運転士	99.8
経理事務員	99.8
検針員	99.7
一般事務員	99.7
包装作業員	99.7
路線バス運転者	99.7
積卸作業員	99.7
こん包工	99.7
レジ係	99.7
製本作業員	99.7

自動化される可能性が最も低い職業

職業名	自動化が可能になる確率（%）
精神科医	0.1
国際協力専門家	0.1
作業療法士	0.1
言語聴覚士	0.1
産業カウンセラー	0.2
外科医	0.2
はり師・きゅう師	0.2
盲ろう・養護学校教員	0.2
メイクアップアーチスト	0.2
小児科医	0.2

出典：野村総合研究所「日本におけるコンピューター化と仕事の未来」
※宮本弘暁著『101のデータで読む日本の未来』（PHP新書）より

ここで気になるのは、レコードやCDの制作に携わっていた人たちはいったいどんな未来を受け入れ、どんな生き方を選んだのか、ということ。それは想像にかたくありません。これが人間社会における生存競争なのです。

それと同じように、第4次産業革命でのテクノロジーの発達による技術革新によって、今まさに音楽流通と同じようなことがあちこちの業界で起ころうとしています。しかし、そんな危機感を抱いている人がいったいどれほどいるのでしょうか。

そこで、私は実際にフレイ博士とオズボーン准教授の論文（原文）を読んでみました。もちろん、どんな職業が消えてどんな職業が生き残るのか、それは一つの仮説に過ぎません。実際、ドイツマンハイムZEW研究所メラニー・アーンツ博士らは、半分の仕事が消えるのではなく、10％程度だと主張しています。また、オズボーン教授らの最新の研究では、２０３０年の時点で20％程度という数字も出ています。しかし、**たくさんの仕事が「消える」ということ自体は、実現する可能性が高い「究極の仮説」**と言えるでしょう。（参考：独立行政法人経済産業研究所「ＡＩが雇用に与える影響：最近の研究動向」https://www.rieti.go.jp/jp/publications/pdp/20p009.pdf）

ではそれをもとにした野村総合研究所の資料から、日本においていったいどんな職業が消えてどんな職業が生き残るのか、皆さんで見てみましょう。

いかがでしょうか。消える職業というよりは、自動化される可能性が高い職業に、もし自分の職業が入っていたらびっくりしますよね。

代替可能性が**高い**職業

IC 生産オペレーター	製粉工
一般事務員	製本作業員
鋳物工	清涼飲料ルートセールス員
医療事務員	石油精製オペレーター
受付係	セメント生産オペレーター
AV・通信機器組立・修理工	繊維製品検査工
駅務員	倉庫作業員
NC 研削盤工	惣菜製造工
NC 旋盤工	測量士
会計監査係員	宝くじ販売人
加工製造工	タクシー運転者
貸付係事務員	宅配便配達員
学校事務員	鍛造工
カメラ組立工	駐車場管理人
機械木工	通関士
寄宿舎・寮・マンション管理人	通信販売受付事務員
CAD オペレーター	棚卸作業員
給食調理人	データ入力係
教育・研修事務員	電気通信技術者
行政事務員（国）	電算写植オペレーター
行政事務員（県市町村）	電子計算機保守員（IT 保守員）
銀行窓口係	電子部品製造工
金属加工・金属製品検査工	電車運転士
金属研磨工	道路パトロール隊員
金属材料製造検査工	日用品修理ショップ店員
金属熱処理工	バイク便配達員
金属プレス工	発電員
クリーニング取次店員	非破壊検査員
計器組立工	ビル施設管理技術者
警備員	ビル清掃員
経理事務員	物品購買事務員
検収・検品係員	プラスチック製品成形工
検針員	プロセス製版オペレーター
建設作業員	ボイラーオペレーター
ゴム製品成形工（タイヤ成形を除く）	貿易事務員
こん包工	包装作業員
サッシ工	保管・管理係員
産業廃棄物収集運搬作業員	保険事務員
紙器製造工	ホテル客室係
自動車組立工	マシニングセンター・オペレーター
自動車塗装工	ミシン製工
出荷・発送係員	めっき工
じんかい収集作業員	めん類製造工
人事係事務員	郵便外務員
新聞配達員	郵便事務員
診療情報管理士	有料道路料金収受
水産ねり製品製造	レジ係
スーパー店員	列車清掃員
生産現場事務員	レンタカー営業所員
製パン工	路線バス運転者

代替可能性が**低い**職業

アートディレクター	人類学者
アウトドアインストラクター	スタイリスト
アナウンサー	スポーツインストラクター
アロマセラピスト	スポーツライター
犬訓練士	声楽家
医療ソーシャルワーカー	精神科医
インテリアコーディネーター	ソムリエ
インテリアデザイナー	大学・短期大学教員
映画カメラマン	中学校教員
映画監督	中小企業診断士
エコノミスト	ツアーコンダクター
音楽教室講師	ディスクジョッキー
学芸員	ディスプレイデザイナー
学校カウンセラー	デスク
観光バスガイド	テレビカメラマン
教育カウンセラー	テレビタレント
クラシック演奏家	図書編集者
グラフィックデザイナー	内科医
ケアマネージャー	日本語教師
経営コンサルタント	ネイル・アーティスト
芸能マネージャー	バーテンダー
ゲームクリエーター	俳優
外科医	はり師・きゅう師
言語聴覚士	美容師
工業デザイナー	評論家
広告ディレクター	ファッションデザイナー
国際協力専門家	フードコーディネーター
コピーライター	舞台演出家
作業療法士	舞台美術家
作詞家	フラワーデザイナー
作曲家	フリーライター
雑誌編集者	プロデューサー
産業カウンセラー	ペンション経営者
産婦人科医	保育士
歯科医師	放送記者
児童厚生員	放送ディレクター
シナリオライター	報道カメラマン
社会学研究者	法務教官
社会教育主事	マーケティング・リサーチャー
社会福祉施設介護職員	マンガ家
社会福祉施設指導員	ミュージシャン
獣医師	メイクアップアーティスト
柔道整復師	盲・ろう・養学校教員
ジュエリーデザイナー	幼稚園教員
小学校教員	理学療法士
商業カメラマン	料理研究家
小児科医	旅行会社カウンター係
商品開発部員	レコードプロデューサー
助産師	レストラン支配人
心理学研究者	録音エンジニア

出典：2015年12月2日の野村総合研究所
『News Release』を元に文部科学省作成より

「うすうす感じてはいたけど、やっぱり……」
「いやー、しょせんは仮説にすぎないんでしょ？」
捉え方、感じ方、そして考え方も人それぞれだと思いますが、ただただ時代の流れに身を任せるだけなのか、それとも自分の未来を変えて生き残りたいのか、決めるのは皆さんの覚悟次第なのです。

少しでも自分の未来を変えて生き残りたいと考えるのであれば、こうしたデータをもとに自分なりの仮説を立てる必要があります。しかも、その仮説は科学的根拠に基づいて立てていかなければなりません。なぜなら、そうした科学や数学的な思考法や発想法からいくつかの具体的な可能性が生まれてくるからです。これがまさに生存戦略として必要な究極の仮説に近づくということだからです。

ご紹介した資料で私が気になったのが、〝消える〟可能性のある職業の上位にラン

クインした電車の運転士や路線バスの運転手です。

最近のニュースでは、電車の運転士が運転中に居眠りをしてしまった、あるいは路線バスの運転手が過酷な勤務ダイヤで事故を起こしてしまったなどが報道されたことは記憶に新しいわけですが、ここで一つの仮説を立ててみましょう。

「もし今後、自動運転の技術が目ざましい発展を遂げたらどうなるのか？」

これは、約22万人いるタクシー運転手にも当然当てはまる、極めて重要な生存戦略ではないでしょうか。

皆さんもご承知の通り、近年の自動運転技術の発展には目を見張るものがあります。最近は特に、ほぼ毎日のように「自動運転」というキーワードが経済ニュースを駆け巡っています。

そもそも、自動運転とはＡＩの技術革新によって、自動車に搭載されたコンピュータが周囲の様子をカメラやセンサーで読み取り、ナビ情報を参照しながら、運転手なしで安全に車両を走らせることができるシステムです。

【図４】６段階の自動運転レベル

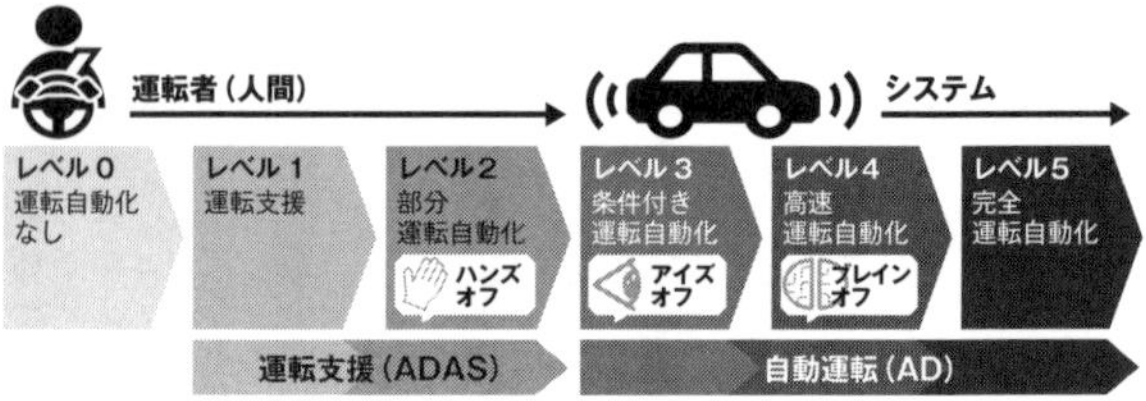

自動走行システムの実用ロードマップ

難（技術の難易度）易

自動運転レベル	実用時期（見通し）	技術の概要
レベル５ 完全運転 自動化	目標時期は 非設定	すべての操作を自動車が行い、ドライバーは一切運転に関与しない
レベル４ 高度運転 自動化	2025 ～ 30 年	高速道路など限定領域内で自動車がすべての操作を行い、ドライバーは一切運転に関与しない
レベル３ 条件付き 運転自動化	実用化済み	通常時はすべてを自動車が操作。緊急時のみドライバーが操作する
レベル２ 部分運転 自動化	実用化済み	アクセル、ハンドル、ブレーキのうち複数を自動車が操作
レベル１ 運転支援	実用化済み	アクセル、ハンドル、ブレーキのうち、一つを自動車が操作

出典：電波新聞『【次世代自動車用部品特集】自動運転車の開発動向レベル４以上の実用化に照準』より作成

この自動運転は、運転の主体や自動運転の技術到達度、走行可能エリアなどによって、レベル０からレベル５までの６段階に分類されています。

この自動運転レベルは、アメリカの「自動車技術会（ＳＡＥ）」が示した６段階の自動運転レベルであり、日本を含む世界において主流となっているので、簡単にご紹介しましょう。

皆さんがきっと気になるのは、「現在どこまで開発が進められているのか」ではないでしょうか。私が調べたところ、２０２１年にはレベル３の機能を搭載した市販車の販売がすでに始まっており、レベル４の自動運転もタクシーやバスでの実証サービスも盛んに行われています。

オズボーン博士もまた、**「無人自動車が普及すれば、タクシーやトラックの運転手が職を失うという現実を、われわれは考えていかなくてはなりません」**とコメントしていますが、該当職業の皆さんはこうした状況を踏まえ、いったいどのような生存戦略のための仮説を立てればいいのでしょうか。

私は子どものころ、車が好きだったのでタクシーの運転手になりたいと思いました。電車好きなら電車の運転手になりたいですよね。仮に私が現在、タクシー運転手だとしたら、同じ業種の中で生き残る方法と転職とに分けて考えます。

たとえば、介護タクシーや高級ハイヤーなどは、あえて人間がやることに価値があるので生き残る可能性があります。逆に、ふつうのタクシーの運転手の仕事はほとんどなくなるでしょう。

次に転職は？　これは無数にありますが、車の運転以外でとなると、リスキリング※が必要かもしれません。自分が好きなこと、得意なことをみつけ、その能力を伸ばすのです。

※技術革新や次世代のビジネスモデルに必要とされる新しいスキルを身につけること

機械化・自動化による労働コストカットの余波

前出の資料で、私が自動化される可能性が高い職業として、もう一つ着目したいのが、「レジ係」です。

最近、コンビニやスーパーマーケットに行くと、多くの店舗で「セルフレジ」があるで雨後のタケノコのようにあるのを見かけるようになりました。

日本のセルフレジは、利用客が自分で商品バーコードをスキャンし、精算し、袋詰めをする流れが主流ですが、何人かのレジスタッフを配置しているのが特徴だといえます。

ところが、アメリカはさらに一歩先を進んでいます。セルフレジではなくレジそのものがないのです。

２０１８年にシアトルで「Amazon Go（アマゾンゴー）」の1号店がオープンしました。アマゾンゴーとは、その名の通りアメリカのアマゾンが運営するコンビニエンスストアです。ただし、アマゾンゴーはただのコンビニではありません。ＡＩやコンピュータを駆使することで、なんと店舗でのレジ精算なしで商品を買うことができる画期的な店舗なのです。

その仕組みを簡単に説明しましょう。アマゾンゴーを利用するためには、まず事前にアプリをダウンロードし、クレジットカード情報の登録をしておきます。

その後は、入店時にゲートでアプリのＱＲコードをかざして入店し、商品を手にして店を出るだけで精算が完了。接触なしで買い物ができるため、コロナ禍に注目されている技術でもあるのです。（参考：日経クロストレンド「オートノマス・ストア」最新リポート、https://xtrend.nikkei.com/atcl/contents/18/00727/00001/?i_cid=nbpnxr_parent）

このように、実は産業革命と機械化・自動化は非常に関連が深いものなのですが、**産業革命にはもう一つ一貫した流れが存在しています。それは、コストダウンです。**

これまで人間が担ってきた労働の一部が、こうした技術革新によってどんどん自動化されていきます。それによって労働賃金などのコストを大幅に削減できる経済メリットを企業にもたらしているわけです。自動運転やセルフレジの普及による労働コストの削減はその最たる事例だといえるでしょう。

こうした自動運転や自律型店舗など、機械化・自動化による労働コストカットの流れは今後も止まることはないでしょう。これも一つの仮説です。

この仮説が正しければ、**まちがいなくこの先多くの企業でさらなる機械化・自動化を見越してリストラや早期退職者を募る動きが出てくるはずです。**

「自分は運転手でもレジ係でもないから大丈夫だ」

そう高を括っている、一流と呼ばれる大学を卒業して職に就いているホワイトカラーもうかうかしていられません。

オズボーン博士の論ずる「職業のオートメーション化」とは、ルーティーン化できる仕事はすべてオートメーション（コンピュータ）化が可能だと警鐘を鳴らしているからです。

前出の表にある経理事務員や、一般事務員をはじめ、臨床検査技師や、弁護士の助手、金融機関のコンサルタントや会計士など、高度な知識や学歴が必要とされる職種でさえ、ルーティンワークの部分も多くあり、それがＡＩで代替されるようになれば、その存在価値は非常に危うくなっていくというのです。

一般事務の仕事をしている人はどんな仮説を立てるべきでしょうか。ヒントとして、先日、北九州に招かれた講演会の話をしようかと思います。学校事務をしている方々の総会だったのですが、当然、ＡＩへの不安の声も多く聞かれました。

私の仮説はシンプルです。まず、事務の仕事において、人間がゼロになることはないでしょう。なぜなら、ＡＩがやった仕事を「監査」する人間はいつになっても必要だからです。また、学校事務の場合は、各校に一人くらいしか専任の人がいないので、そもそも数が多くありません。となると、現在、学校事務をやっている人が生き残るために必要なのは、ＡＩを使いこなすスキルだけ、という結論になります。

学校ではなく会社ではどうでしょう。事務員が多い職場も、実は、すでに自動化の波が押し寄せており、かなり人数が減っているはずです。ですから、**ＡＩの扱い方をマスターできれば、今のままの職場で仕事を続けられる可能性はあるでしょう。**

ただ、いまのルーティーンワークがあまり好きでなかったり、苦になっているのであれば、思い切って、リスキリングにエネルギーを振り向ける方策もあるかと思います。

最後に、医師や公認会計士などの専門職はどうなるでしょうか。

たとえば医師については、診断そのものはどんどんＡＩ化されるものの、患者さんの心のケアなどは、引き続き、人間の医師がおこなうだろうと言われています。看護師も同様です。現在のＡＩには心のモジュールがないのがその理由です。

あるいは、公認会計士のような仕事の場合、「計算」そのものはすでに自動化されており、さらにＡＩ化が進むと思われますが、非常に複雑な人間関係やコネクションを駆使した「コンサルティング」の部分は、人間でないと手に負えません。やはり、人間の心と密接に関係しているからです。

どの職種においても、パターン化されたことばかりやっているとＡＩに仕事を奪われるものの、人間としての付加価値が重要であれば、人間がやり続ける……そんな未来が見えてきたのではないでしょうか。

第４次産業革命が進むなかで我々は何をすべきか？

ここまで述べたように、日本のみならず世界規模で急速に第４次産業革命が推し進められているわけですが、たとえば「ＡＩ（人工知能）」というキーワードにしても、どのように自分のビジネスに導入すればいいのかを、きっと多くの企業やビジネスパーソンが模索しているところではないでしょうか。

ではそのとき、まずやるべきこととは何でしょうか。それは**ＡＩやそれにまつわる技術革新について深く知ること。**これに尽きるのではないでしょうか。

ジェフリー・ヒントンらの画期的な研究により「ディープラーニング」が生まれてからＡＩの飛躍的な発展が始まりました。２００６年のことです。ディープラーニングとは、十分なデータ量があれば人の手を介さずにコンピュータが自動的にデータ内から特徴を見つけ出す技術です。このディープラーニングを使って、グーグル傘下のディープマインド社が、人が描くという概念を教えることなく、コンピュータに猫が写っている画像を判別させることができたところから、世界の注目が始まったわけです。

ＡＩの中核はディープラーニングのアルゴリズムであり、このアルゴリズム※に大量のデータを学習させることによってＡＩは進化していきます。

それからおよそ10年の時を経た今、多くの企業やビジネスパーソンが第４次産業革命による新しいビジネスを展開しようとしても、おそらくＡＩについての深い見識がないため、暗中模索をしている状態なのではないでしょうか。そこでまずは、ＡＩについての知識を深めなければなりません。

※アルゴリズム……プログラムをつくるときに用いる、問題を解決するための手順・計算方法

本屋さんに行けば、それこそＡＩについて学べる数多くの本が陳列されています。数式やアルゴリズム、プログラム言語の本や最先端のＡＩ技術について書かれた本もあるでしょう。これらはたしかに内容も難しく、手に取るのを躊躇《ちゅうちょ》してしまうかもしれません。

そうした本はＡＩを開発する人であれば知っておくべきかもしれませんが、多くの企業やビジネスパーソンはそこまで知る必要はないというのが私の考えです。

しかし、ＡＩの基本的な仕組みだけは知っておいて損はありません。そのうえでこの**現代社会においてAIによって何がどう変わっていくかという情報にアンテナを向け、「自分たちに何ができるのか」という仮説を立てていくことが、今できる企業の生存戦略になる**のです。

先に、自動運転技術について述べました。「今、自動車の自動運転技術の発展が目覚ましい」というのは、誰もが知っている表面的な知識にすぎません。では、そこからさらにどのように知識の奥深さを追求していくべきなのでしょうか。

たとえば、こんな事例があるのをご存じでしょうか。

トヨタ自動車が、車両開発だけでなく、自動運転にもモータースポーツの知見を応用し始めました。プロのラリードライバーの走行データをもとに自動運転車を開発しており、ラリードライバーの高度な運転技術をＡＩで実現するため、２０２２年に実験車を披露したのです。

この技術によって、障害物や雪道などで、とっさに危険を回避できる、安全性の高い自動運転の実用化に向けた開発が進められているそうです。

加速度やブレーキのセンサーなどからの情報をリアルタイムに計算して走行を制御したり、最適経路を自動で算出するなど、ＡＩがよりよい運転ができるようになるという展望を示したのです。

こうしたニュースを通じて、ＡＩについて奥深く知ることによって立てられる新しい仮説があるという可能性を皆さんにも模索してもらいたいのです。

最近のニュースとしては、「チャットGPT」の話題があります。なんでも学校で生徒や学生がチャットGPTを使って宿題やレポートを出してくるというのです。いま流行りの対話型AIですね。質問すると、まるで人間のような答えが返ってくるのです。当然のことながら、生徒が「気候変動対策について簡単にまとめて」とチャットGPTに尋ねて、そのまま宿題として提出しても不思議ではありません。

実際、私が経営するインターナショナルスクールでも、まさに生徒がチャットGPTにやらせた宿題を提出してきました。いったいどうすればいいのでしょう?

答えは簡単です。AIにはAIを。そもそもネットで提出してきている宿題なので、私はすぐさま、宿題のテキストを盗用検出ソフトにかけました（Turnitin、COPYLEAKS、Quetextなどがあります）。すると、70%の確率でネットからのコピペであることがわかったのです。チャットGPTを使ったかどうかはその時点ではわかりませんでしたが、数字をもとに生徒と面談をし、チャットGPTを使ったことがわかりました。

そこで、私はこの生徒に次のように注意しました。

「最新技術を駆使した点は評価できる。それでこそ先進教育をやっているウチの生徒だ。でも、今のままだと、そこには君のオリジナリティがないんだ。実際、70%はネットからのコピペだったわけだし。**君に足りないのは、私がやったように盗用チェッカーも駆使したうえで、最後は、自分で内容を理解し、自分の言葉で書き換える作業なのさ。わかるかい?**」

いかがでしょう? なにも慌てる必要はありません。将棋のプロ棋士だってAIを駆使して研究している時代なのです。でも、対局の最中にAIを使ったら失格です。ようするに、最新のAI技術には、使いこなすためのルールとノウハウがあるのです。

もう一つ、最近のニュースで話題になったのが、AIアートです。アメリカの小さな芸術コンペで、人間を抑えて、AIが生成した絵が優勝したのだそうです。生成した人自身は、さほど絵はうまくない人だったとか。

ＡＩが生成するアート作品のレベルは日増しに向上し、もはや、プロのイラストレーター顔負けの状態です。はたしてイラストレーターは仕事がなくなってしまうのでしょうか。

車の運転手や事務職などと同じで、イラストレーターの中にはリストラされる人も出てくるでしょう。でも、逆に、最新のＡＩアートを「筆」として使いこなすことができれば、その人の仕事は逆に増えるのではないでしょうか。いまだってコンピュータを駆使した3次元グラフィックスで仕事をしているイラストレーターは多いはずです。

ただし、ＡＩアートが特定の人間の作家の「作風」を真似している場合、盗作の疑いを持たれても仕方ありません。ですから、チャットGPT同様、盗作や著作権違反の可能性を調べる必要があるのです。残念ながら、今のところ、そういった「鑑定ＡＩ」は実用的なものが登場していないようです。

いかがでしょう？　ＡＩと一緒に働く未来。そんな仮説が見えてきたのではないでしょうか？　今後もニュースから目が離せませんね。

もう一つ、事例を紹介しましょう。

私がサイエンス作家として活動する出版業界にも、ＡＩによるイノベーションが起こっています。

私は翻訳本を手掛けることもあるのですが、２０２２年からＡＩを駆使して翻訳しています。それまでは、まず翻訳を生業《なりわい》としている私の妹に8割程度の下訳をしてもらい、そこから私が科学的に正しいかどうかを判断しながら誤訳を修正したり、表現を直したりして仕上げていました。

仮に３００ページの翻訳本を翻訳するため、妹に下訳を頼むと約2カ月から3カ月ほどかかり、費用としては最低でも50万円くらいはかかっていたのです。

ところが、**ＡＩの翻訳ツールは同じレベルにまで仕上げるのにたった3分でできてしまうのです。しかも、翻訳ツールの費用はひと月たったの１０００円程度です。**

つまり、極端なことをいえば1冊の本を翻訳するのに１０００円ほどでできてしまうという革新的なエピソードです。

下訳の仕事がなくなった妹は意気消沈しているでしょうか？　いえ、逆なのです。もともと文章力はあるので、私の外注の仕事に割いていた時間を、自分で翻訳する仕事にあてることができます。つまり、妹もＡＩ翻訳を使って下訳をつくり、最後の編集作業に集中できるため、これまでよりもたくさんの翻訳本の仕事をこなすことが可能になりました。

もちろん、現状ではＡＩの翻訳ツールだけで本を完成することはできず、やはり最後は人間の目で推敲していく作業が必要なのはいうまでもありませんが、「日本語の本を海外に紹介する翻訳本はなかなか採算が取れない」と躊躇していた出版業界が、一気に世界に打って出るかもしれません。そこで必要な仮説が立てられれば、現在厳しいといわれる出版業界の起死回生の一手になるのかもしれません。

こうした事例は枚挙にいとまがありません。これが今、第４次産業革命が急速に進行しているなかで、現実に起きていることなのです。

【図5】ビジネスアイデアの仮説の立て方

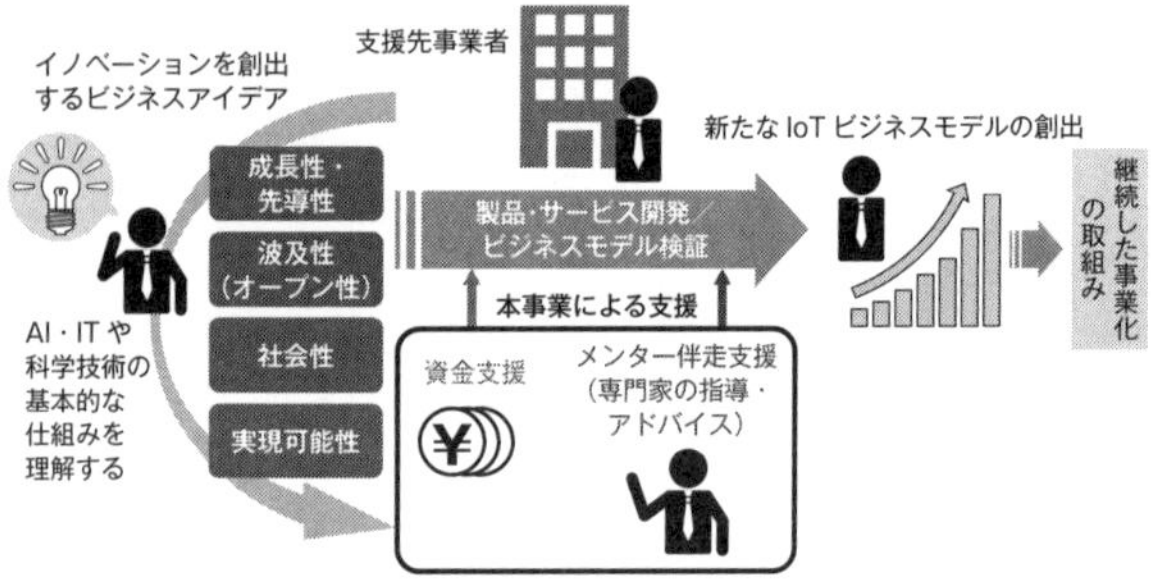

出典：経済産業省「第四次産業革命に向けた 商務情報政策局の取組」平成 28 年 11 月 29 日を参考に作成

いま、皆さんがやるべきことは、AIをはじめ、ITやさまざまなデジタルテクノロジー、急速に発展する科学技術における基本的な仕組みを理解し、幅広い視野で社会全体の動きを捉えることです。

そして、**自分が従事しているビジネス分野で何が起きているのかを把握しながら、「ビジネスアイデア」という名の仮説をいくつも立てて検証し、そこから究極の仮説に到達する必要がある**のです。

興味のある方は、スタートアップ育成プログラム「J-Startup」-2023年選定企業発表を参考にして下さい。

第2章

3つのプロセスで「究極の仮説」を生み出す

何のために仮説を立てる必要があるのか？

続いて、この章では「究極の仮説を生み出すための3つのプロセス」について詳しく解説していきます。

私が長年分析したところ、これまで究極の仮説を立て、さまざまな分野で成功した人たちは、次のような流れで仮説を構築し実行してきたと考えることができます。

①何のために仮説を立てるのか（目的）
②どのように仮説を立てるのか（構築）
③どのように仮説を活用するのか（実行）

こうした3つのプロセスは、私たちでも同じです。ビジネスパーソンであれば、新商品を開発するときのことを例にとってみるとわかりやすいかもしれません。

①（目的）新商品を開発すること
②（構築）どんな新商品がヒットするのか、仮説を立てて検証する
③（実行）検証結果に基づいて、有力な仮説を厳選して商品開発をおこなう

この流れは新商品の開発に限らず、すべての社会活動に通じているといえます。

そこでまず、「何のために仮説を立てるのか」という目的について述べていきます。

私は、「なぜ自分はこのような仮説を立てようとしているのか」という目的意識からすべては始まっていると考えています。

たとえば、今回のこの本もそうです。「そもそも、なんで仮説をテーマにした本を書こうとしているのか」という目的意識からスタートしました。

この本を、誰に、何を伝えたいのかということを考えて、「正解のない複雑な世の中では生存戦略が必要だから、仮説に関するテーマがいいかもしれない」といった、読み手のニーズを想定して仮説が生まれてくるわけです。

目的が定まっていないのに、いきなり仮説を立てることはできません。私たちは例外なくある目的から仮説を立て始めるのです。

では、いかにして目的を明確化するのか――。

これは、「仮説」をテーマにした講演などでよく質問されることです。私はそんなとき、**「あなたの生きている環境下で必要に迫られていること。それが真の目的となるのです」**と話しています。大抵の場合、勉強でも仕事でも、たとえ遊びや趣味でも、必要に駆られてやらざるを得なくなることが目的になるということです。

わかりやすい例でいえば、受験がそうです。ある年齢に差し掛かると嫌でも迫ってくるのが受験です。

そのときに「自分の志望校はS大の工学部だ」「合格ラインの偏差値は65。現在の偏差値では5の差がある」「塾の模試で合格圏に入るよう毎日集中して6時間勉強する」といった仮説が生まれます。あるいは、「そもそも受験をすべきなのか」「外国留学という道だって考えられる」など、いろいろな仮説が出てくるはずです。

つまり、**自分自身でゼロから目的を考えて明確化するというよりも、生きているなかで向こうからやってくるものへの対応が目的となるという考え方が正しいのです。**

それはビジネスでもまったく同じです。

そして、目的を達成するために、あらゆる仮説を立て、検証し、厳選する。

その**仮説が結果として正しく、徹底して実行できれば、豊かな人生が手に入ったり、他人から評価したりしてもらえる。逆に、その仮説が間違っていれば、生きづらい人生になったり、評価が下がったりする。**つまり、それはこれまで述べてきた「生存競争に負ける」ことを意味しているのです。

プロセス① 目的

さまざまな環境変化によって目的は押し寄せてくる

私たちには経済的な環境変化によって、実に多くの目的が押し寄せてきます。受験も就職もそうですし、社会に出れば会社のミッションやノルマといった目的が、自分の思いとは裏腹に押し迫ってきます。

また、結婚や出産、引っ越しといった人生の節目における生活環境変化においても、さまざまな選択を迫られるでしょう。

こうした人生の転機に、目的を達成して生き抜き、「人生の最適化」を図るために、私たちは間違いのない仮説を立てたいと考えるわけです。

先述した新商品の開発にしても、会社にお金が有り余っているから何か自由に好きなものを開発しようということではなく、「このあいだの商品が思うように売れなかった。次こそは……」というような、それこそ会社の存続をかけて新商品を打ち出す場合が多いのではないでしょうか。あるいは、ライバル社がヒット商品を出した焦りから、「うちの会社も負けずに新商品を出すぞ」ということもあるでしょう。極端なことを言ってしまえば、去年と今年とでは会社の置かれている状況すら違います。

こうしたことが目的となって仮説を立てていくわけですが、そのほとんどがうまくいかないのには理由があります。それは、**「仮説のパターン化」**というものです。

多くの場合、**すでにはるか昔に先人が仮説を立ててパターン化され、定式化されたものでビジネスを進めていく傾向があります。**その顕著な例が百貨店ではないでしょうか。

日本の百貨店の売上げは、１９９１年をピークにほぼ減少を続けています（図６）。

【図6】百貨店の全国売上高の推移

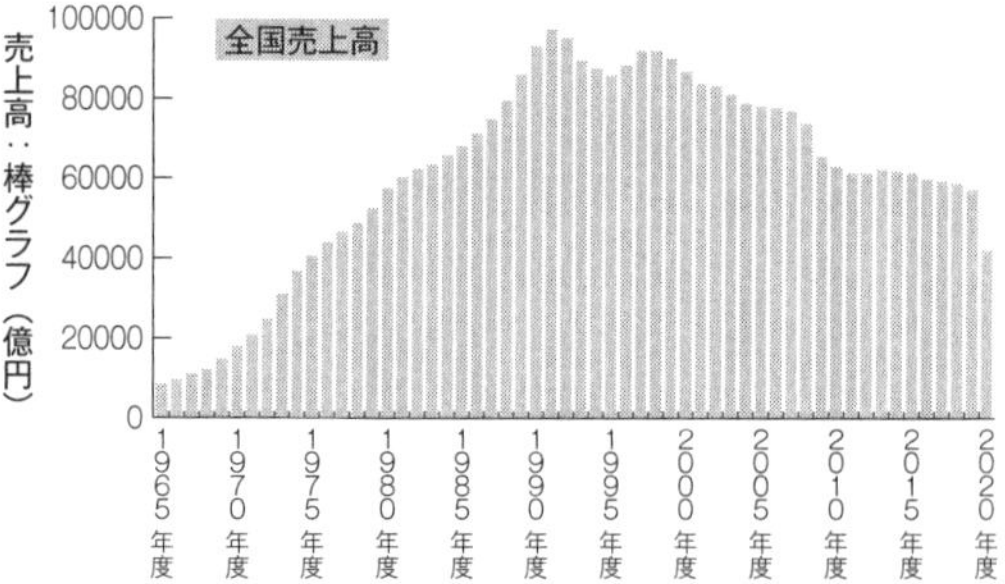

日本の百貨店の売り上げは1991年をピークに減少を続けている
出典：『日本百貨店協会』より作成

その理由としては、景気の低迷による消費の冷え込みや専門店やショッピングモールの台頭などといった外的要因に加え、高級ブランドに偏った品揃えや百貨店間での売場の同質化を招いたと分析する人も少なくありません。

デパートといえば、季節に合わせた催事や物産展などパターン化されたスケジュールを進めていきます。**以前はうまくいっていたものが徐々にうまくいかなくなり、業績が悪化していく。こうした環境変化は、百貨店に限らずどこにでもやってくるのが今の世の中だと考えるべきなのです。**

プロセス② 構築

目的が明確化されたら「次の一手」となる仮説の構築

「うまくいっているものには手をつけるな」

これは、ビジネスでよく言われている定説です。そして、物事がうまくいっているときというのは仮説を立てる必要もないのです。

ただ、それはうまくいっているときの話であり、今の厳しい環境変化の時代で生き残るためには、企業もそうですが、自分自身が進化していかなければ生存競争を到底勝ち抜くことはできません。

向こうから迫りくる目的を明確にしたら、「次の一手」となる、どのように仮説を立てるのかという仮説の構築に入ります。

もちろん、次の一手とはいうものの、「手」は一つだけではありません。たくさん構築した仮説のうちのどれかが一手になるということです。それは将棋のようにたくさんの可能性を探って駒を打つのと似ています。


たとえば、新卒者の就活を例にとるとわかりやすいでしょう。

新卒者の就活の選択として、まず企業に就職するという選択と企業に就職しないという選択があります。

企業に就職するという選択であれば、

「自分は人工知能を使ったカスタマーサービスに携わる仕事がしたい」

「AI開発に強いといわれる国内の21社のどこかに就職したい」

「30代で責任のあるポストを任されて仕事がしたい」

という仮説の構築が始まります。

一方で、企業に就職しないという選択であれば、

「大学院に進んでもう少し勉強してみよう」

「海外に留学してみよう」

「ワーキングホリデーに行って経験を積んでみよう」

あるいは「いいビジネスアイデアがあるから起業してみよう」

などといった仮説の構築が始まるわけです。


では、目的に沿って仮説を構築しなければどうなるのでしょうか。人間の思考というのは単純を好むので、「なんとなくみんながやっている流れに乗っかればいい」という安易な考えになってしまいがちです。「みんなが塾に行くから塾に行く」「みんなが受験するから受験する」「みんなが就職するから就職する」というように、流れに身を任せる結果となり、これが入社3年以内の大卒者の離職率が3割（2022年厚労省調べ）という結果を生み出しているのかもしれません。

一方、**世の中で成功している人を見ていると、その背景には例外なく緻密な仮説が存在し、それが思いどおりに当たっているのです。つまり、仮説をしっかり構築している人としていない人とでは、その先の道筋に明暗がくっきりと分かれていくということです。**

仮説を構築せずに物事を進めるだけでは、それはただ単に行きあたりばったりの世界でしかありません。運まかせにならないように、あらかじめ頭のなかでシミュレーションする必要があるのです。

このシミュレーションこそ、仮説を構築するということの本質なのです。

有益な情報は いったいどこにあるのか

仮説を立てるとき、より多くの情報を集めてそれらを分析する。

このようなやり方をごく当たり前と考えているビジネスパーソンが多いのですが、「はじめに」で述べたように、網羅的に多くの情報を集めようとしてしまうと、つい情報収集に費やす時間が多くなってしまい、結果として非効率な情報収集になってしまいます。

では、この情報過多ともいえる今の時代に、いったいどのように有益な情報を手に入れるのか。これが仮説構築のための第一歩です。

皆さんが思いつく情報収集といえば、インターネットが圧倒的ではないでしょうか。それ以外でいえば、新聞や雑誌、書籍などが挙げられます。

ただ、こうしたメディアから得る情報は、収集が容易である反面、誰もが得られる情報であるということを念頭に置く必要があります。誰もが得られる情報に、いったいどれだけの価値があるのでしょうか。そう考えれば、本当の意味での有益な情報というのは、インターネットを中心としたメディアにはないというのが私の意見です。

では、有益な情報はいったいどこにあるのでしょうか。

私は、それは**「人間からのリアルな情報」**だと思っています。

私の経験上、どんな場所にせよ、どんなビジネスにせよ、そこには間違いなく**その道の〝プロフェッショナル〟とされる人物が存在しているものです。そうした人が持っている情報は、やはりネットでいくら調べても到底手に入らない有益な情報なのです。**

それをつくづく感じたのは、私がフリースクールを設立しようとしたときでした。

当然ですが、何も知らない私は、最初ネットである程度のことは調べましたが、肝心なことはネットの情報では調べきることができなかったのです。

そこで私が頼ったのが、文部科学省や経済産業省の役人をやっていた同級生の知り合いでした。彼らは難しい法律の条文に書いてある読んでもわからないことを実に丁寧に教えてくれました。

そのなかで、私が最も懸念したのが、フリースクールを設立するための初期費用についてです。ある人から「10億円はキャッシュで必要になる」という話が出ていたからです。

その当時、私の周りに10億円のキャッシュを援助してくれるスポンサーはいませんでしたので、他の方法はないかと、今度は内閣府の役人にアドバイスを求めに行きました。すると、「たしかに、土地を買って校舎を建ててとなると10億円くらいかかりますが、あるプロセスを踏んで教育特区として設立するならば、5000万円もあればできますよ」という、まさにネットには載っていない有益な情報を手に入れたのです。

さらに、そうした情報収集をしているなかで、思わぬ出会いが生まれました。文科省からハーバード大学に留学し、独立してコンサルタントとなり、その後、熊本市教育長となった遠藤洋路《ひろみち》さんです。

遠藤さんからも、また別の情報やアイデアが出てきたり、さらには友人で経済同友会副代表幹事（当時）であり、経営コンサルタントの冨山和彦さんには、「小さく始めるのがコツだよ」というアドバイスをいただいたりもしました。

このように、人から人を紹介してもらいながら情報を集めていくことで、より有益な情報へのアップデートが可能となり、「究極の仮説」へと近づけたのです。

昔から「情報は足で稼げ」と言われますが、「そんな面倒くさいやり方、今の時代にそぐわないでしょ？」と思われる方もいるかもしれません。

でも、**本当に有益で使える情報というのは結局のところ、人間から得るしかないというのが、私の経験から導き出した結論なのです。**

もしかしたら皆さんは、「自分にはそんな有益な情報をくれる人なんていない」と悲観的になってはいませんか。そんな皆さんは、**「6次の隔たり理論」**というものをご存じでしょうか。

これは、**アメリカの社会心理学者スタンレー・ミルグラムによる、世界中の人間は知り合いの知り合いといった関係をたどっていくと、5人の仲介者を経て6人目でほぼ世界中の誰とでもつながりを持つという理論です。**

ミルグラムは、イェール大学の教授だった1967年に、直接つながりのない相手に宛てた手紙を、まずは自分の知り合いに宛て送り、その後、その知り合いの知り合いに転送してもらうと、何人を経由すると相手に届くのかという検証実験を行いました。

すると、結果的に相手に到達するのは平均すると6人目となり、この実験によって、思ったよりも「世間は狭い」という事実が確認できたのです。

何より、今はネットやSNSによって昔よりも人と人とのつながりが容易になったことも特筆すべきことでしょう。実際に、私のもとにもメールを送ってきて、「竹内先生にお会いして相談したいことがあります」という勇敢な学生もいたくらいです。

有益な情報というのは、待っていたら向こうからやってきてくれるわけではありません。自らの手で果敢に取りにいくものなのです。

ちょっと補足しておきましょう。

有益な情報が、いわゆる特権階級の間だけで回されているのでは？　という疑問を抱いた読者の皆さん。たしかに情報に恵まれている人々はいるでしょう。でも、すべての有益な情報を持っている神様のような特権階級など、そもそも存在しません。そして、コネというのは「コネクション」なので、持っていなければ作ればいいのです。

たとえば、ある学校がカルトと関係あるのかどうかを知りたい場合（155ページ参照）、すでにジャーナリストや宗教家を知っていれば問題ありませんが、知らなかったらどうするか。

ネットで「カルト　被害　団体」といったキーワードで検索すれば、たいていの場合、カルト被害を扱っている団体のホームページがヒットします。そこにはメルアドもあるでしょうし、ホームページにも有益な情報は載っています。被害者のための窓口もあるでしょう。ほら、すでにあなたは、有益な情報の入り口を探し当てたのです。あとは、実際にメールを送り、詳細な情報をもらえばいいわけです。

あるいは、突然、ピアノの練習を始めたくなったらどうすればいいか。この場合は、ホームページが無数にあって、なかなかよい先生に巡り合うのは大変でしょう。

でも、いまはたくさんの有益な動画がありますから、実際にレッスン動画の配信を見てみて、「この先生ならよさそう」と思ったら、コンタクトを取ってみればいいのです。あるいは、リアルではなく、動画で学べるレッスンだってあります。

繰り返しになりますが、6次の隔たり理論を利用して、実際に人づてに有益な情報を持っている人を紹介してもらうのもいいでしょう。有益な情報がない、ないと言っている人は、実際には、情報を取りにいくための行動を起こしていないことがほとんどです。有益な情報が向こうから降ってくることは、ほとんどありません（無益な情報はいくらでも振ってきます）。

ネットでも動画でもリアルな人でもいいのです。有益な情報は能動的に取りにいくことが必要です。

ネットの情報収集は英語サイトまでアクセスせよ

「毎日忙しすぎて時間がない」
「足を使って情報収集なんてとてもできない」

そんな人もいるかもしれませんね。

そこで、インターネットでの情報収集について、一つアドバイスをしたいと思います。

人間からのリアルな情報を集めるのがベストだと述べましたが、現実問題として私もインターネットでの情報収集を行なっています。

そのなかで経験則として感じているのは、**日本語の情報より英語の情報のほうが圧倒的に情報量があるということです。**

これは、英語でコミュニケーションを取っている人の数を考えてみれば明らかです。世界中で、アメリカやイギリス、カナダやオーストラリアだけでなく、フランスもドイツもスペインも、またアジアなどの国々であれ、インターネット上で情報収集するのは英語も使ったりするので、世界で13億人以上の人が英語を会話言語として使っています。

そのため、**インターネット上で使われている主な言語は、6割ほどが英語であると**いわれます。

ですから、インターネットの世界もまた、実はコミュニケーション言語は英語なのです。すると情報収集一つ取っても、日本語でいくらキーワードを変えても絶対出てこない情報も、英語でうまく検索すれば出てくるものが数多くあるのです。

以前、私は若いビジネスパーソンにインターネットでの情報収集を頼んだことがありました。そのとき、「英語のサイトでも検索かけた?」と聞くと、「いえ、日本語のサイトだけです」という答えが返ってきました。

事実、多くのビジネスパーソンがインターネットで情報収集するとき、日本語のサイトだけで完結している場合がほとんどなのではないでしょうか。日本語のサイトだけで検索している限りは、到達できない有益な情報を見落とすおそれがあるということを知っておくべきです。

その意味でいえば、英語がある程度できる人は、他の人とはまったく違う有益な情報を得ることができるでしょう。

「でも、自分はまったく英語ができないし……」

そのような人でもあきらめる必要はまったくありません。そこはＩＴのテクノロジーを利用すればいいだけの話です。

今は、**インターネットで検索するときに、英語という言語を指定して検索すると、たとえ日本語でキーワードを入力したとしても、英語での検索結果も表示できるオプ**

ションがあります。つまり、自分が英語に堪能である必要はないのです。さらに、検索結果が英語で読めなければ、翻訳機能で日本語にすればいいわけです。

このように、**インターネットでの情報収集にしても、ちょっとした工夫をするだけで他の人とは違う有益な情報を手に入れることができるということを覚えておいて損はありません。**

仮説を立ててシミュレーションする癖をつける

私はサイクリングが趣味で、よく子どもたちを連れて海や山へ行きます。つい先日も、日本で初めての海峡を横断できるサイクリングロードとして有名な「瀬戸内しまなみ海道」へ行ってきたのですが、私はこのサイクリングに出かける前に、実はさまざまなリスクについての仮説を立てたのでした。

サイクリングというのは、海や山、天候などの自然を相手にするだけでなく、予想外のトラブルに見舞われることがあります。

そうしたことを過去の経験則から導き出して次のような仮説を立てていく。これがサイクリングでの情報のアップデートということです。

仮説1　自転車がパンクするかもしれない
仮説2　自転車のチェーンが切れるかもしれない
仮説3　自転車のテールランプが落ちるかもしれない
仮説4　子どもたちが転倒してけがをするかもしれない
仮説5　山の中では水を調達できないかもしれない

過去の経験を思い出しただけでも、すでに5つの仮説が浮かび上がりました。

ただし、サイクリングでは坂道も多いので、あまり重い荷物は持っていくことができません。そこで、ここからさらにシミュレーションを重ねて最低限の荷物を準備するのです。

まず、仮説1の「自転車がパンクするかもしれない」については、瞬間パンク修理剤を2個くらい準備します。そして意外な落とし穴が、仮説2の「自転車のチェーンが切れるかもしれない」です。これも想定して、事前に新しいチェーンに交換しておくか、チェーンを修理する携帯チェーンカッターを持参します。

さて、問題はここからです。仮説3の「自転車のテールランプが落ちるかもしれない」は、山の中のような足元の悪い道を走っていると、気づいたら振動でテールランプが落ちてしまっていることがあるのです。テールランプをつけずに自転車で走行すると法律違反になってしまうので、テールランプの予備も持っていく必要があります。

続いて、仮説4の「子どもたちが転倒してけがをするかもしれない」ですが、最低限の応急処置ができるように消毒薬やバンドエイドなどは欠かせません。そして、仮説5の「山の中では水を調達できないかもしれない」ですが、山の中では、コンビニはもちろん、自動販売機すらないことも想定されます。飲用以外にも、子どもたちがけがをしたとき、傷口を洗うのにも水を使うので、ペットボトルを何本か準備しておくべきでしょう。

このように、**ある程度の危険を想定して最低限の準備をしておくだけで、すべての**

トラブルには対処できなくとも、よく起こるトラブルには対処でき、安全にサイクリングを楽しむことができるというわけです。

なぜ、このような事例を紹介したのかというと、大部分の人は仮説を立てる前に、過去に経験したことがなければ、「たぶん、何も起きないだろう」という発想をしてしまいがちだからです。それはパンク一つとってもいえることで、サイクリングの初心者のタイヤがパンクして、携帯も通じず道端で立ち往生してしまい、通りがかったベテランのロードバイカーがパンクを修理してあげているという光景を私は何度か見かけたことがあります。

「備えあれば憂いなし」ではありませんが、サイクリングに限らず日常のあらゆることでもしっかりと情報をアップデートし、そこから仮説を立ててシミュレーションするという習慣を身につけておくことで、いざというときのトラブルを回避することができるということをお伝えしたかったのです。

【図７】仮説のシュミレーション

目　的

子どもたちを連れて「瀬戸内しまなみ海道」で安全にサイクリングをしたい

仮　説

仮説１　自転車がパンクするかもしれない
仮説２　自転車のチェーンが切れるかもしれない
仮説３　自転車のテールランプが落ちるかもしれない
仮説４　子どもたちが転倒してけがをするかもしれない
仮説５　山の中では水を調達できないかもしれない

根　拠

過去に知り得た情報（情報のアップデート）

初心者がパンクして、携帯も通じず道端で立ち往生。
通りがかったベテランのロードバイカーがパンクを修理した場面を目撃した。

電車での移動も常に仮説を立ててシミュレーション

「電車、遅れていましたよね？　よく間に合いましたね！」

これは以前、講演会の主催者から驚かれたエピソードです。

私には全国各地から講演会の依頼があります。

とてもありがたいことなので、当然ですが講演会に遅れて行くようなことがないよう万全の注意を払っています。

サイクリングは趣味ですが、講演会は仕事です。仕事として行くからには、どんな理由であれ遅れて行くようなことがあってはならない。それが講演会におけるモットーであるのです。

とはいうものの、時には予期せぬハプニングに遭遇することもあります。

台風や地震といった自然災害であれば、電車が止まってしまったり、遅れたりしてしまうことは誰にでも予測できるでしょう。

ですが、自然災害でなくとも、電車であればやはり遅延することはあるわけです。いきなり電車が止まってしまって立ち往生……。これは誰にでも経験があることでしょう。

通勤通学であれば遅延証明書をもらえばひと安心ですが、仕事で大事なプレゼンがあるときや、私のように講演会で話をしなければならないといったときには、「すみません。電車が遅れてしまって。はいこれ、遅延証明書です」では済まされないはずです。

なので、私は電車で講演会場に行くときには必ず「たとえ電車が遅れても遅刻しないようにしよう」と心がけているのです。

ただし、やみくもに早く家を出るということではありません。

ここでも、仮説を立ててシミュレーションしていきます。

「30分、いや、1時間電車が遅れるかもしれないことを想定しておこう」

「電車が遅れた（止まった）ときの迂回ルートを調べておこう」

「雪や嵐で飛行機が飛ばない可能性があるから前日に移動しておこう」

たったこれだけの仮説を立てて動くだけで、いざ電車が遅れたり、飛行機が飛ばなかったりしても、問題なく対処できるわけです。

もちろん、講演会場の最寄り駅に着いてからの、講演会場までのルートのチェックにしても怠りません。今はGoogleマップなどで事前にルートや所要時間を調べることができますから、ここでも仮説を立ててシミュレーションしていきます。

「この距離だと歩くのはさすがに厳しいな」

「バスの本数が少ないからタクシーを使ったほうがいいだろう」

このように、**考えられるリスクを一つひとつシミュレーションしながらつぶしていくことで、突然襲い来る危機的状況も乗り越えられるのです。**

仮説を構築するうえで不都合な情報やデータをどうすべきか

有力な仮説を構築するなかで、情報のアップデートやデータを揃えているうちに問題が生じることがあります。それは、仮説を構築するうえで不都合な情報やデータを見つけてしまったときです。

そのような場面に遭遇したとき、皆さんならどうしますか。仮説を立てるのをやめてしまうでしょうか。その判断はなかなか難しいところです。

そこで、科学の世界で実際にあったあるエピソードをご紹介しますので、参考にしてみてください。

皆さんは、**「ミリカンの実験」**というのをご存じでしょうか。

ミリカンとは、ロバート・アンドリューズ・ミリカンというアメリカの物理学者で

【図8】ミリカンの実験

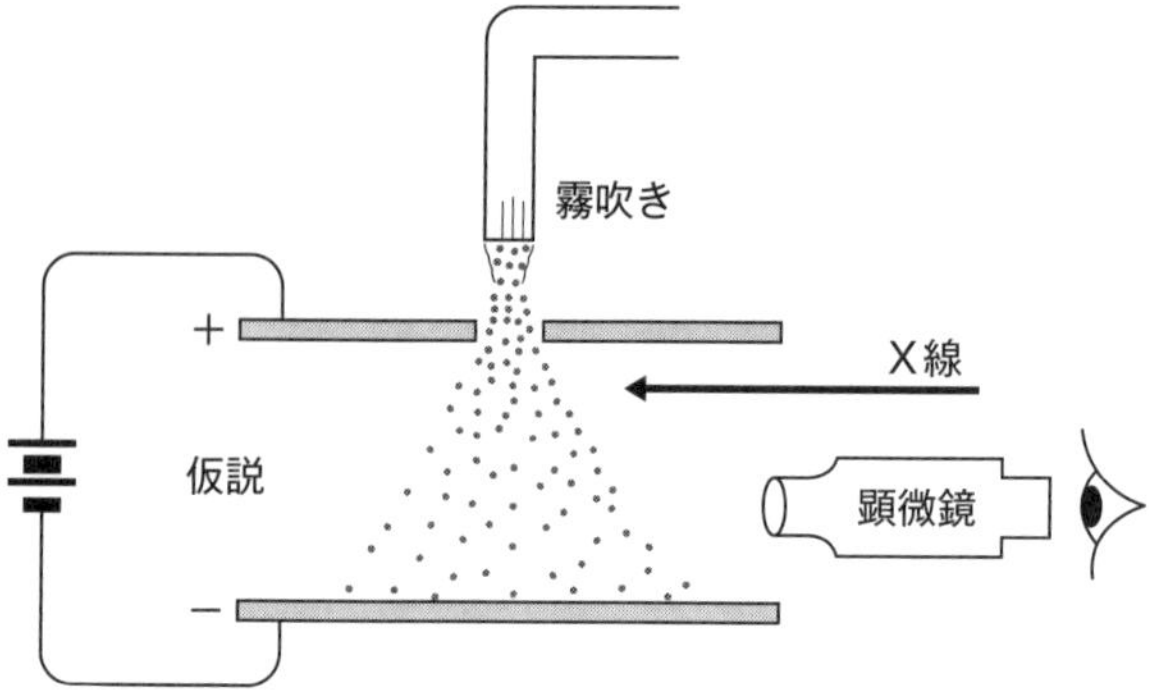

出典：高田 健次郎著『わかりやすい 量子力学入門——原子の世界の謎を解く』（丸善）を参考に作成

す。ノーベル物理学賞を受賞したこの人の名前がこの実験の名前の由来になっています。

1909年、ミリカンは「電気素量」、すなわち電気（電荷）の量を測るときに電気に最小単位があるということを、この実験で発見しました。

では、まず図8を見てください。

この実験で、どんな電気も「電気素量の○○倍」というように、電気量の基本単位を、電気素量で表すことができるようになったのです。

図8がミリカンの実験の様子なのですが、まずプラスとマイナスの電極板に電圧がかかっている状態にします。そこに、上から霧吹きのようなもので電極に油滴を吹きかけます。X線があたると油滴はマイナスに滞電します。ミリカンは電圧を変えるなどして、電気の力（クーロン力といいます）と重力の「つりあい」によって電荷を測ったのです（実際には空気抵抗も考慮する必要があります）。

この実験の結果、「電気というものには最小単位がある」という結論が出たのですが、実はこの実験には裏話があるのです。

それは、「電気には最小単位があるのではないか」という仮説を構築し、実験を続けていると、**仮説に反する半端な電荷のデータも出てきたのですが、ミリカンの実験ノートを見ると、彼はそうした不都合なデータを削除していたのです。**ただ、結果的にはそれでもミリカンの実験は正しいと証明されました。

「そんなのインチキなのでは？」

そう思う方もいるかもしれません。でも私は、**もし仮説を構築するうえでそれが有力な仮説につながるという確信があるのであれば、たとえ不都合な情報やデータを見つけてしまっても、それを省いて仮説の構築を継続しても構わない**と思います。

それはなぜかといえば、もしミリカンが正直にすべての実験データをそのまま分析していたら、どうなっていたのか。ミリカンの仮説は棄却され、おそらくミリカンの功績は別の人に奪われていたからです。

人間にはどうしても主観（思い入れ）というものがあります。また、ときには科学的根拠やデータといったものでは計れないことに遭遇することもあります。そのようなとき、不都合な情報やデータは省いてもいいというのが私の考えです。

ただその一方で、別の仮説もどこかで用意してシミュレーションしておくことで、たとえ遠回りしても有力な仮説に近づくことができると思うのです。

プロセス③ 実行

トップがおこなう重要な仮説の意思決定

究極の仮説を生み出すための3つのプロセス。

最後のステップとなるのが、どのように仮説を決めて実行するのかです。

企業であれば、仮説を構築した際に最終的に誰かがこの意思決定をしなければいけません。本来であればトップである社長が仮説を選択し、そして行動に移すための意思決定を迫られます。ここで一つ、事例をご紹介しましょう。

数年前、プロ&ハイアマチュア向けのハイエンドカメラの世界に大きな転換点が訪れました。

プロのカメラマンやハイアマチュアと呼ばれるカメラ愛好家が使うカメラといえば、これまでは一眼レフが主流でした。そんな一眼レフの日本初が1952年発売の『アサヒフレックスI《ワン》』で、レンジファインダー式カメラ(カメラに内蔵された光学視差式距離計でピントを合わせるカメラ)に代わって時代を席巻してきました。

一方で、2008年に一眼レフに取って代わる存在として登場し、広く認識されてきたのが、一眼レフの象徴であるミラーをなくし、さまざまな機能を搭載した「ミラーレスカメラ」です(オリンパスとPanasonicによる規格から始まった)。

そして、2010年代に入って、一眼レフとミラーレスカメラとの主役の交代に向けた動きがはっきりと見えてきたのです。それまでは、どちらかといえば入門・中級者用のカメラに重点を置いてきたミラーレス市場に、プロやハイアマチュアの使用に耐えるフルサイズのハイエンド機を投入する動きが各メーカーで活発化してきたのです。

「自分たちが持っている技術で一気に移行できるのか」

「これまでのお客さんはついてきてくれるのだろうか」

各メーカーは、こうした仮説に対するシミュレーションを何度も重ねて、それぞれに意思決定をしてきました。

結果として、一眼レフ時代を牽引したニコンが、一度は撤退したミラーレス市場に2018年、再び参入しました。

続いて同年、すでに入門機ブランドである「EOS Kiss」をミラーレス化して成功していたキヤノンもフルサイズミラーレスを発表したのです。この2強の参入により、2013年に世界初のフルサイズミラーレス「α7」を投入したソニーの独壇場だったミラーレス市場が一気に様変わりしてきました。

その一方で、ペンタックスは「ミラーレス市場には参入しない」という意思決定をしました。他社が続々とミラーレス市場に参入するなかで、「一眼レフの未来を創る」

というメッセージは、一眼レフを使い続けたいお客さんにとっては非常にありがたいわけで、これもまた一つの生存戦略だといえます。

各メーカーが「今後どのような戦略で生き残っていくのか」という企業存続を賭け、いくつかの仮説を立てて意思決定したことは想像にかたくありません。

このように、**企業のトップは生存戦略、すなわち自分たちが立てたいくつかの仮説のなかで最終的な選択と実行を迫られる**というわけです。

現代ビジネスに求められる意思決定のスピード

普段、私が感じていることの一つに、**日本の企業は欧米の企業に比べて意思決定のスピードが格段に遅い**というのがあります。

欧米の企業の場合、意思決定の権限を持っているリーダーが決めたことに社員たちが即座に従うのに対し、日本の企業では協調型の組織形態が一般的なので、さまざまな人たちの意見に耳を傾けてすり合わせていくため、どうしても意思決定が遅くなってしまいます。

しかし、目まぐるしく変化するビジネス環境の中で、意思決定のスピードを上げることは企業の生存戦略の一つです。**意思決定がスピードアップすることで、市場での競争を優位に進めることができるというメリットが生まれるからです。**

ここでもう一つ、ある事例をご紹介しましょう。

現在、世界的には電気自動車（ＥＶ）の台頭が目立ち、トヨタ自動車もその開発に力を注いできました。ところが、残念ながら日本のＥＶ開発は世界から見れば先頭を走っているとはいいにくい現状です。

こうしたなか、たとえ今からＥＶ開発に力を注いだとしても、世界の自動車メーカーがそれをはるかに上回るスピードで開発を行っている状況で、世界市場で楽に勝つことができないことは容易に想像できました。

「水素自動車の開発も進めてはどうだろうか」

おそらく、当時のトヨタのトップであった豊田章男社長には、こうした仮説があったのではないでしょうか。しかし、そうした仮説はただ頭のなかにだけあっても何も進みません。そこでいろいろなシミュレーションを重ねたり、市場の反応を確かめたりしていったはずです。

そして２０２２年６月、トヨタは水素自動車（ＦＣＶ）を市販化する意向を表明したのです。どこの自動車メーカーもＦＣＶの本格的な開発に踏み切れないなかでの迅速な意思決定だったといえます。

実際に、トヨタでは１９９０年代からＥＶの開発も進めつつ、同時並行でＦＣＶの開発が進められてきました。

やはり、**仮説に対しての意思決定の難しさというのは、頭の中の世界とリアルな世界が違う可能性があるということ。だからこそ、リアルな世界の反応を見るためには、さまざまなシミュレーションをする必要があるのです。**

これは、科学でいう実験段階であり、いくつかの可能性を試さない限りは正しい意思決定ができないということでもあるのです。

そうしたなかで、ＦＣＶというのはガソリン自動車と同様に、燃料を爆発させることによってピストンが動き、それが最終的にタイヤへと伝わる構造のため、エンジン構造のノウハウをそのまま流用することができるメリットがあります。

このことからも、2020年から世界の自動車販売台数のトップに立ったトヨタにとって、EVだけではなくFCVにも舵を切ったことは勝算が高いという声も多く聞かれます。こうしたトヨタの意思決定により、近い将来において続々と他の国内メーカーも同様の動きを見せる可能性が出てくるかもしれません。

こうした意思決定は、もちろんトップだけの仕事ではありません。トップが下の人に任せているのであれば、任せられた人が迅速に意思決定しなければなりません。

ここで重要なのは、**どんな場面においても、立てた仮説について意思決定する権限を持った人を明確にする**ということです。なぜなら、何か問題が起こったときには責任のなすりつけ合いになってしまうことがあるからです。

よくあるパターンとしては、会社のなかで複数の人間が一つのプロジェクトを進めるというとき、「では、このプロジェクトでは誰が最終的な意思決定をするのか」という責任の所存が明確化されていないことで、いざ問題が起きてしまったときにプロジェクトが失敗するということです。

近年、「プロジェクト制」を導入している企業が増えているのは、まさにこのような問題を打破し、意思決定力やさらにその先にある行動力に磨きをかけるためだといえるでしょう。

もちろん、プロジェクトを進めるときには、規模を問わず、プロジェクトごとにリーダーが明確に存在し、プロジェクトすべてにおける責任と権限が与えられることは、ある意味では仮説に対する意思決定にスピードを持たせるうえで理想的でしょう。

ですが、このプロジェクトリーダー自身が、有力な仮説を立てられない、迅速に意思決定ができない人であれば、当然そのプロジェクトが成功する可能性は低くなってしまいます。だからこそ、**意思決定の権限を与えられたプロジェクトのリーダーには、自分なりの仮説、意思決定の基準が明確になっていなければならない**のです。

仮説を立てることによって生まれる自然な意思決定

「仮説を立てることによって自然な意思決定ができる」

これが私の考え方です。

たとえば、「A・B・C」という3つの仮説を構築したとします。

そこから仮説を絞り込むための検証を重ねていくと、「もう、これしかないよね」といった感じで、ある程度必然的に残るものが決まってきます。それがもし、苦渋の決断だったとしたらなおさらのことです。

ここで、ある事例をもとに自然な意思決定の考察をしてみたいと思います。

2017年、製菓大手の明治が、同社のスナック菓子のロングセラー「カール」を中部地域以東で販売を終了するという意思決定をくだしたことは記憶に新しいのではないでしょうか。

１９６８年の発売以来、多くの人に親しまれてきたカールですが、なぜ東日本から姿を消すことになったのか。その大きな原因として挙げられるのが売り上げの低迷です。

当時、明治が立てた仮説は、こんな感じだったのではないでしょうか。

「このままでは、カールの売り上げはさらに落ち込むのではないか」

この仮説を検証したところ、スナック菓子の市場は消費者の人気がコーン菓子よりもポテト菓子に移行し、カールもその余波を受ける格好となっていました。小売りベースで約１９０億円あった売り上げも、約60億円と3分の1以下に落ち込んでいました。

だからといって、それまで手をこまねいていたわけではありません。数年前からカールブランドの存続を検討し始め、ブランド力を強めるために２０１６年には「大人の贅沢カール」などの新商品でテコ入れを図りましたが、それでも売り上げ回復につながりませんでした。

「このまま継続して販売を続けるべきか」
「全面的に販売を中止するべきか」

明治のトップは、ついにこのような意思決定を迫られたわけです。普通に考えれば、「全面的に販売を中止する」というのが自然な意思決定でしょう。

ところが、明治はこの意思決定において、何とか継続できる手段を模索していたといいます。そこで最終的な意思決定としてくだされたのが、販売地域を絞るということでした。

カールを製造していた5つの工場のうち、4つの工場では生産を中止し、子会社である四国明治の工場のみで生産し、関西地域以西に限定して販売することにしたのです。これは、生産効率と生産拠点からの物流を総合的に考えた結果によるもので、特に売れ行きが西日本に偏っていたわけではないそうです（ただし、人口あたりの売り上げは西日本のほうがかなりよかったようです）。

ここで、皆さんに考えてほしいことがあります。

もし、あなたの会社の商品で売り上げが3分の1まで低迷したものがあったとします。そのとき、どんな意思決定をくだすのでしょうか。

おそらくは、「全面的に販売を中止する」が圧倒的多数ではないでしょうか。なぜなら、これが仮説を立てることによって生まれる自然な意思決定の本筋だからです。

しかし、明治がくだした意思決定は違いました。それはなぜでしょうか。全面的な販売中止という自然な意思決定の方法がありながらも、おそらく、長きに渡って多くの人に愛されたカールブランドをなんとか残したいという、明治のトップの心意気のようなものを私は感じるのです。そして、ブランドが残れば、いずれ全面復活する可能性もあると思うのです。

「第六感」による重要な意思決定もある

私たちが普段仮説を立て、その仮説によって意思決定する際には、過去のデータや経験則を一つの指標にしているという人も多いのではないでしょうか。

たとえば、「以前、この方法で失敗したからやめたほうがいいかもしれない」という仮説は、過去と同じやり方ではリスクが高いだろうという、ある種のパターン認識ができるからこその意思決定だといえるでしょう。

これを科学的に説明すると、脳は五感で知覚したものを認識するために記憶を用いているということがいえます。

ただし、この記憶のメカニズムだけでは乗り越えられない場面に遭遇したときや、命の危険にさらされたときなどに働く能力は、「第六感」と呼ばれます。

第六感とは、人間の五感（嗅覚、味覚、触覚、視覚、聴覚）に続く6番目の感覚といわれているもので、「直感」や「勘」などともいわれます。

皆さんも明確な根拠はないものの、「なんとなくピンと来た」とか、「勘が働いた」という感覚になることがあると思います。第六感とはこういった直感的に物事を察する能力のことです。

消防士や兵士などは強力な第六感を持っているとよくいわれます。**過去に何度も繰り返してきた命を脅かす危険な経験に基づいて第六感を働かせ、迅速かつ正確な意思決定や行動ができる**というわけです。

私も理由はわからないのですが、たまに頭のなかでアラームが鳴ることがあります。たとえば、何かの契約書にサインするときに「これにサインしていいのかな」という妙な違和感があったのに、それを言語化できなかったので、仕方がなくサインをしてしまう。すると、後々痛い目に遭って、「あー、あのときのアラームはこういうことだったのか」ということが何度かありました。やはり、人間の脳というのは複雑なので、感じたことを言語化するまでに時間がかかるときがあるのです。

もちろん、こうした第六感が働くのは悪い場面だけではありません。ビジネスにおいても、第六感によって究極の仮説にたどり着いた成功者もきっといるに違いありません。

第六感と聞くと、「なんか怪しい」「非科学的だ」と考える人も少なくないようですが、実は科学の世界ではこの第六感に関する研究は数多く存在しているのです。

世界の叡智が集結するプレゼンテーションの場として有名な「TEDカンファレンス」にも登壇したことがある神経学者のエリック・ヘイゼルティンが、科学誌『Psychology Today』にこんなことを書いています。

「感覚や直感を信じていい理由は、科学的にある」

エリック・ヘイゼルティンは人間の判断能力の複雑さに注目し、脳に記憶されている「暗黙の学習データ」と呼ばれる膨大なデータの中には、私たちの過去の経験則や貴重なデータが含まれており、何かをきっかけに偶然それが呼び起こされることがあると説明しています。

そのため、**その人が経験した体験の数々や膨大な暗黙の学習データがあればあるほど、第六感的な感覚や直感は研ぎ澄まされていく**というのがエリック・ヘイゼルティンの理論のようです。

命の危険を何度も経験してきた消防士や兵士はもちろん、世の中を変えるほどのイノベーションを起こした起業家や大企業の経営者などは、この暗黙の学習データによって「この事業は早い段階で撤退したほうがいいな」とか、「この投資はうまくいく気がする」という言語化できない第六感が働いて意思決定することもあるのです。

私は、こうした感覚は誰もが持っていると考えており、理論的にどうすることもできない意思決定をする際の大きな武器となり得ると思うのです。

アウトドア体験で第六感を鍛える

人類の歴史を辿ってみると、私たちの祖先は安全な場所もないような危険な生活を送りながら進化してきました。

食べ物にしても毎日食べられるわけではなく、狩りがうまくいったときにだけご馳走にありつけたわけです。

こうしたきびしい環境下で生き抜いていくために、人類の祖先は日々五感を研ぎ澄ましてきたと考えられています。そうした五感を磨きながら生きていたからこそ手に入れたもの。それが第六感です。

そう考えれば、第六感というのは実は誰もが持ち合わせている能力だということです。

ところが、**現代を生きる私たちは、この第六感という能力をうまく使いこなせていないのです。**それは、何不自由なく暮らせる便利な世の中になったことが挙げられます。

安全な家に住み、食べたいときに食べたいものを食べ、大きな危険もなく、情報もネットで簡単に手に入れられる。つまり、私たちはこうした快適な暮らしによって少しずつ直感や勘といった感覚を失っていったのです。

ただ、先にも述べたように、私たち現代人にとっても、ときにはこの第六感が必要に迫られるときがあります。

ビジネスの重要な局面であったり、人生を左右する大きな決断であったり、ときに命の危険にさらされたりしたときには、第六感を駆使して仮説を立てて実行しなければならないことがあるからです。

では、どのように第六感を取り戻せばいいのか。

前述したように、第六感を鍛えるためには、まず基礎となる五感を鍛えなければなりません。**意識的に観察力を磨き、耳を澄ませ、匂いを嗅ぎ、触れてみる、味わってみるなど、五感すべての感覚を研ぎ澄ますトレーニングを日頃から心がけておくことが重要です。**五感を研ぎ澄ますことで脳が活性化され、次第に第六感を鍛えることにつながっていくからです。

第六感を鍛える具体的な方法として私がいつも提唱しているのが、キャンプなどのアウトドア経験をしてみることです。

近年ではキャンプ人気が高まっています。山へキャンプに出掛ければ、野外での生活を余儀なくされます。アウトドア生活になれていない人にとっては、日頃の便利な生活とは比べものにならないくらい過酷かもしれませんし、計画通りにいかないことのほうが多いはずです。

でも、そうした自然のなかには日常生活では味わえない刺激や発見がたくさんあり、それらを五感でフルに感じ取ることで自分のなかに眠っている第六感が磨かれていくのです。

私は第六感とはすなわち、その人の生きる力そのものだと考えています。

生きる力は、一度や二度キャンプに行ったからといって身につくものではありません。ですから、常日頃から定期的に自然のなかに身を置き、原体験をできるだけ多く重ねていくことをおすすめします。

自然のなかで目をつむり、深呼吸しながら耳をすませば、鳥のさえずりが聞こえてきたり、夜は真っ暗闇だからこそきれいに見える星空や、焚火の炎を見つめたり、そうした**多くのエネルギーに満ち溢れている自然のなかで心身ともにリフレッシュすることで第六感は鍛えられていくのです。**

特に、日頃スマホ片手に忙しくしている人ほど、日々蓄積されてきた疲れやストレスを自然のなかで癒すことで、感性が研ぎ澄まされていくに違いありません。

第3章

今の「世の中」を仮説脳によって読み解く

なぜ、新型コロナはこれほどのパンデミックを引き起こしたのか

第3章では、世の中の出来事や時代の潮流について、仮説力を用いながら読み解き、私たちが今やるべき生存戦略のヒントを探ってみたいと思います。

まずは、何といっても新型コロナウイルスのパンデミック※について触れておきたいと思います。

「なんか、世の中が大変なことになってしまったな……」

これが、きっと多くの人が考えたことではないでしょうか。

では、新型コロナウイルスのパンデミックについて、どのような仮説が浮かび上がるでしょうか。

実は、仮説を立てるというのは意外にもやらない人が多い思考法であり、そんなこ

とは専門家や政治家が考えるべきというのが大半の意見ではないでしょうか。

仮説というのは、立てる必要に迫られることのない人にとっては必要のない思考法と考えられがちですが、本当にそれでいいのでしょうか。


流れが速く混沌とした今の時代において、仮説を持たずに生きていくのは、それこそ何の武器も持たずに戦場に足を踏み入れるのと同じくらい危険だということを、肝に銘じてください。つまり、仮説を立てなければ、ビジネスに限らず、さまざまな生存競争を生き抜けないということです。

戦場で武器を持っていなければ、命の危険にさらされます。そのときに「あ、武器を持っていない」ということに初めて気づいても手遅れなのです。

こうした提言は、決して大げさではありません。私がそう断言できるのが新型コロナウイルスのパンデミックについてです。

ここからは少し科学的な話になりますが、感染症でパンデミックが起きるということについて、感染症の専門家たちは前々から警鐘を鳴らしていたということを知る人は少ないでしょう。

同時に、感染症に関する書物や論文もたくさん出ていて、私のような医学からは遠い科学畑の人間でさえ、「当然、何らかの感染症でパンデミックが起きるだろう」という仮説を立てていました。なぜなら、世界にはいろんな種類の感染症があるので、関連したニュースを耳にするたびに、「大丈夫かな」と身構えたからです。

そして、この仮説が現実のものとなり、今回の新型コロナウィルスによるパンデミックとなったというわけです。

どんな感染症がいつパンデミックを引き起こすのかということはピンポイントで予測できないにせよ、感染症や自然災害についての仮説は、いつも頭の中に置いておくと準備ができるので、いざというときに命を守ることができます。

とはいっても、なぜ新型コロナが世界中でこれほどのパンデミックを引き起こしてしまったのか。

ここには実にさまざまな人たちの仮説の〝甘さ〟があったのは事実でしょう。問題点はいくつかあるのですが、一つは外国起源ということで、日本国内ではコントロールができなかったという点です。

また、現在もまだどのような起源で発生したのか、何一つ解明されていません。たとえば、自然発生的なウイルスなのか、それとも人為的なウイルスなのか、また調査が完全にできていません。仮に自然発生的なウイルスだったとして、なぜそれが人間の社会に入ってきたのでしょうか。

コロナウイルスはごくありふれたウイルスです。風邪の原因ウイルスは数種類ありますが、私たちが日常的にかかる風邪の10〜15%は、コロナウイルスによって引き起こされています。

コロナウイルスが最初に発見されたのは60年ほど前のことです。風邪の患者の鼻から見つかりました。ただコロナウイルスの歴史は非常に長く、遺伝子の変異から先祖を探ると、共通祖先は紀元前８０００年ごろに出現していたようです。以来、姿を変えてコウモリや鳥などさまざまな動物の体に潜りこんで、子孫を残してきました。

（「カドブン」２０２０年2月20日より引用）

今後の人類と感染症の戦いを予想するうえで、もっとも激戦が予想されるのがお隣の中国と、人類発祥地で多くの感染症の生まれ故郷でもあるアフリカであろう。いずれも、公衆衛生上の深刻な問題を抱えている。とくに、中国はこれまでも、何度となく世界を巻き込んだパンデミックの震源地になってきた。過去三回発生したペストの世界的流行も、繰り返し世界を巻き込んできた新型のインフルエンザも、近年急速に進歩をとげた遺伝子の分析から中国が起源とみられる。（石弘之著『感染症の世界史』（KADOKAWA）より引用）

こうした仮説のもと、実は多くの先進国ではそうした野生動物が持つウイルスと人間の社会との分離ができているのです。

日本がリアルタイムでワクチンをつくれなかった理由

新型コロナのパンデミックでは、個人的に衝撃を受けた事実があります。それは、日本が世界に先んじてワクチンをつくることができなかったこと。

日本中にウイルスが広がるタイミングで日本の製薬会社はワクチンがつくれなかったことに対し、きっと多くの人は「日本ってワクチン先進国だったのでは？」と疑問に思ったのではないでしょうか。この理由は明白で、過去にワクチン行政で大失敗したという黒歴史があったからです。

ご存じの方も多いかもしれませんが、近年日本ではワクチン分野でさまざまな問題が発生しており、その代表的なものが子宮頸《けい》がんワクチンの副反応に関わるものです。

大半の子宮頸がんは「ヒトパピローマウイルス（HPV）ワクチン」感染によって発症するのですが、国内承認されているHPVワクチンは、約70％の子宮頸がんを予防できると期待されていました。

そして、2013年からHPVワクチンは定期接種に指定され、多数の少女たちに接種されたのですが、ワクチンの接種を受けた少女の一部に「多様な症状」が出たことから、マスコミが大きく取り上げて大騒ぎになりました。

その間に、子宮頸がんワクチンの定期接種化に奔走してきた政治家の身内が、ワクチン販売会社の関係者であったという利益相反問題や、政治的な圧力をかけて定期接種化が進められたという話がメディアで一斉に報じられると、HPVワクチン叩きが始まったのです（「子宮頸がんワクチンの副作用問題に思う」医薬品医療機構・専門委員 三瀬勝利より引用）。

このとき、矢面に立たされたのが厚生労働省の役人たちです。ワクチン行政に関わる役人というのは、何も一生ワクチン行政に関わるわけではありません。数年で配置転換があるからです。

ところが、子宮頸がんワクチン叩きにあった役人たちは国民やメディアに叩かれ、ワクチン被害者には裁判を起こされてしまい、いわば役人としてのキャリアをつぶされてしまいました。

もちろん、本来であればそこで踏ん張るのが役人の仕事ではあるのですが、たまたま自分がワクチン行政に関わったほんの1、2年でこれだけ責められるのであれば、厚労省はもう何もしないでワクチンから手を引くという結論に至ったわけです。

そのため、日本はワクチン行政が滞ってしまったのです。すると製薬会社も「ワクチンを開発しても、どうせ厚労省も承認してくれないよね」となり、日本はワクチンをつくりづらい国になってしまったのです。

現在、塩野義製薬や第一三共などが国産ワクチンを申請中ですが、ワクチンを開発すれば、ある確率で副反応は出る。これは科学（医学・薬学）の世界では常識とされていることです。それはいわばワクチン開発の宿命だといえます。そのかわり数万、数十万人の命を救うことができるのです。

今回の新型コロナに関しても、多くの感染症の専門家たちが「パンデミック級の感染症が来るかもしれない」と警鐘を鳴らしていましたが、行政はなかなか重い腰を上げられなかった。とにかく、日本にはワクチンを開発するような体制はできてなかったということです。

子宮頸がんワクチンにともなう「多様な症状」については、ワクチンを接種した人にもしなかった人にも症状が見られるという研究報告があり、ワクチンを打ったから「多様な症状」が出るという因果関係は科学的に証明されていません。

仮説を立てて準備することで生まれる成功や利益

「パンデミック級の感染症が来るかもしれない」

専門家のこのひと言を有力な仮説として、真っ先に動いた国があります。

アメリカ、ドイツ、イギリスです。

新型コロナのパンデミックによって世界中にウイルスがまん延してから一年ほどで

この3カ国はワクチンを開発してみせました。これは世界にとって大快挙だといえます。

通常、ワクチン開発の過程で、有効性、安全性を十分に検証するためには、数年から数十年の期間が必要であると考えられています。

ところが、今回の新型コロナのパンデミックによって、これらの国ではワクチン開発は急ピッチで進められました。

たった一年でワクチンを開発した——。

これは、新型コロナのパンデミックが起こってから「よーい、ドン!」で開発できるものではないというのが私の見解です。

おそらく、アメリカ、ドイツ、イギリスといった国々は、常日頃から「感染症は来るものだ」という仮説を立てて準備をしていたのではないでしょうか。だからこそ、「パンデミック級の感染症が来るかもしれない」という専門家の仮説のもと、すぐにワクチンを開発できたわけです。実際に、そのワクチンを世界中に配布して大勢の命が助かりました。

こうした事例から、私たちが学べることがあります。

それは、**世の中の潜在的なリスクに対して、常にさまざまな仮説を立てて、いざとなったらすぐに実行できるよう準備しておくべきだ**、ということ。

そうした仮説を立てて準備をしているのか、それとも漫然とかまえているのかで後々大きな違いを生みます。ビジネスでいえば、その違いは「成功」や「利益」です。今回の新型コロナワクチンで、アメリカ、ドイツ、イギリスの製薬会社は莫大な利益を生み出したことは、いうまでもありません。

ワクチン開発では話が大きくてピンと来ないかもしれませんので、これを皆さんのビジネスの話に置き換えてみましょう。

たとえば、ある新商品開発に関する有益な情報を耳にしたとしましょう。「その情報をもとにいくつも仮説を立て、その中から有力な仮説を導き出し、どのライバル企業よりも早く新商品開発の準備を進めた」企業があったとします。

一方で、「そんな仮説は何の根拠もない。うちはやらないでおこう」と、何もしない企業があったとします。

もちろん、それが正しい仮説かどうかは、ふたを開けるまでわからないでしょう。

でも、それが**有益な情報から生まれた有力な仮説であれば、その新商品がもたらす成**

【図9】仮説が企業の成功を左右する

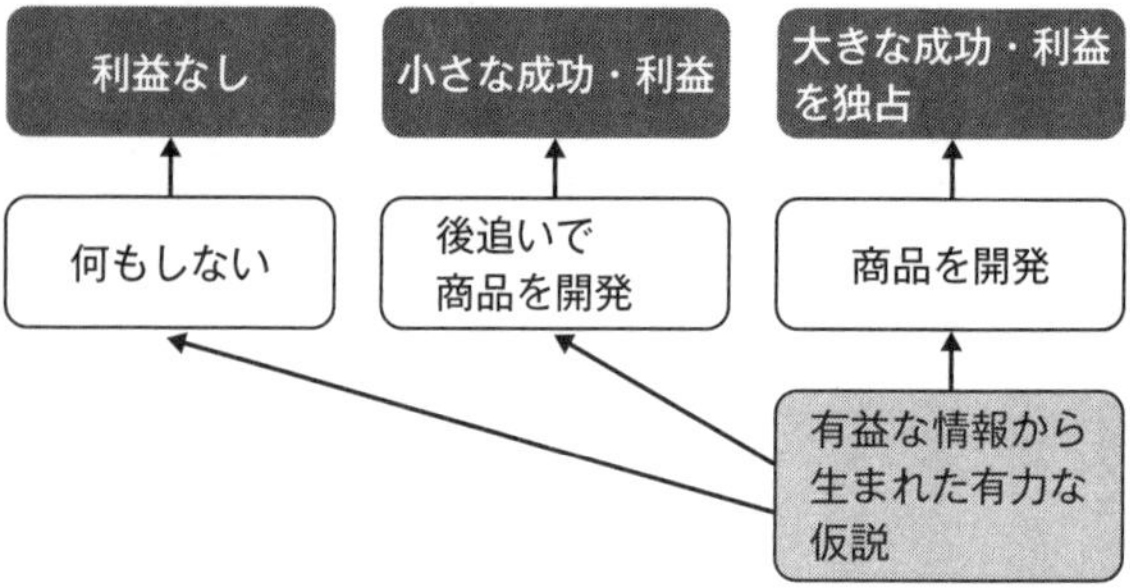

功や利益に大きな期待が持てます。そしていざ、市場に出してみたら、大ヒット！

当然大きな成功と利益を独占的に手に入れることになります。

何もしなかった企業も、そのまま指をくわえて見ているだけではないでしょう。

きっと、「急いでうちも開発するんだ」と、後追いで新商品を開発するでしょう。ですが、この企業が手にするのは〝二番煎《せん》じ〟の小さな成功と利益だけです。それはどの企業よりも早く仮説を立て、検証して準備をした企業の成功や利益には足元にも及ばないのです。こうした成功や利益に大きな差を生み出すのも、また仮説の力だといえるでしょう。

仮説が、企業の成功や利益を左右する。このことを肝に銘じて常日頃から仮説を立てる癖をつけてみてください。

凍結されかかったスーパーコンピュータ「京《けい》」の開発計画

「2位じゃダメなんでしょうか？」

このセリフに聞き覚えのある方も多いのではないでしょうか。

これは、2009年の民主党への政権交代直後、民主党政権の施策で最も国民の注目を集めた「事業仕分け」において、参院議員の蓮舫さんが放ったひと言です。

事業仕分けとは、自民党政権時代の「予算のムダ」を洗い出す会議で、当時仕分け対象の一つになっていたのが、世界一の性能を目指すスーパーコンピュータ「京」の開発計画でした。

この開発計画は、総額1230億円を費やし、1秒間に1京回の計算ができるスーパーコンピュータを開発するというもので、理化学研究所が中心となり、NEC、日立製作所、富士通が共同開発していましたが、事業仕分けのやり玉にあがってしまったのです。

蓮舫さんに世界一のスーパーコンピュータを開発する意義を繰り返し問いただされた担当者たちは、「世界一を取ることで国民に夢を与える」と説明したのです。

それに対して、仕分け人の蓮舫さんが「世界一になる理由は何でしょうか？」と聞いた後、冒頭の「2位じゃダメなんでしょうか？」と発言し、開発計画は「凍結」されることになったのです。

先にも述べた通り、新商品であったり、まだ誰もが開発していない技術を開発したりすることで、成功すればそこには莫大な利益が生まれます。

世界一のスーパーコンピュータを開発するというのも、そうした意義があったことはおそらく蓮舫さんの頭の中にもあったはずなのです。

では、なぜこのスーパーコンピュータ「京」の開発計画は凍結されてしまったのでしょうか。それは、プレゼン担当者たちのこのひと言に集約されています。

「世界一を取ることで国民に夢を与える」

後に、蓮舫さんは「世界一のスパコンをつくるというのは、日本の科学技術力の象徴として意義があったのだと思いますが、莫大な予算を使ってつくる理由としては弱すぎる」と語っています。


たしかに、私もその通りだと思います。ここで重要だったのは、蓮舫さんからスーパーコンピュータを開発する意義を問われたときに、どのように答えればスムーズに開発を進められるのかという仮説を立てることだったのです。

もし私だったら、こう答えました。

「世界一のスーパーコンピュータでなければ特許が取れないからです」

科学技術の世界において、最初の発見や世界一の開発などには、「まだ世の中に知られていない新たな技術」が必ず存在しています。つまり、それは特許を取ることができる技術ということになります。

この世界一のスーパーコンピュータにも、当然ながら特許が取れる技術があったはずです。これがもし2位であれば特許は取れない。これが科学技術の世界の掟でもあるのです。

もし、世界一のスーパーコンピュータでなければ特許が取れない。しいては日本の科学技術力を世界に知らしめることも、ビジネスとして展開していくこともできないという明確な答えを用意していたら、きっとこの世界一のスーパーコンピュータの開発計画は仕分け対象にはならなかったのではないでしょうか（幸いなことに、その後、予算は復活しました）。

世界に追いついてきた日本の第4次産業革命

未曾有のコロナ禍のなかで成長を遂げた企業もあれば、さまざまな対策を講じたにもかかわらず倒れた企業も数多くあります。

帝国データバンクの調べによると、「新型コロナウイルス関連倒産」（法人および個人事業主）は、全国で4851件にものぼるそうです（2023年1月現在）。

ただ、これも帝国データバンクの方がおっしゃっていたのですが、実際にはこの数字の7倍から8倍の法人や個人事業主が自主廃業に追い込まれているそうです。

本来であれば、順調に事業を進めていた優良な企業も廃業に追い込まれてしまったということは、いうまでもなく日本経済にとっての損失です。

ただし、それと同時に新しい企業が生まれ、新しいビジネスモデルが誕生してくるだろうというのが私の立てた仮説でもあります。

そのカギとなるのが、**第4次産業革命**です。

なぜなら、日本の企業やビジネスパーソンがコロナ対応に追われて汲々《きゅうきゅう》としているいまもなお、第4次産業革命は世界で粛々と進行しているからです。

日本はそうした第4次産業革命に後れを取っている国でもあります。ですが、私が感じているのは、このコロナ危機によって急速に世界基準の第4次産業革命に追いついてきたということです。

コロナ禍で急速に広まったと思われるオンラインでの会議や商談、ビジネスチャットの利用がまさにその好例でしょう。

また、多くの企業でテレワークが導入されたり、デジタルテクノロジーを活用することによるオフィスの縮小や転勤の廃止を行う企業も出てきたようですし、最近では、新卒の採用面接もオンラインでやる企業が増えていると聞きます。

新型コロナの前までは、データの活用や情報セキュリティへの不安、そして深刻な人材不足などから、日本はアメリカや中国といったIT先進国と比較して大きな後れを取っていたにも関わらず、まったくといっていいほど危機感はなく、「日本は科学技術立国なのでこのままでいいだろう」といった楽観的な雰囲気が少なからず漂っていました。

結果としてコロナに直面した当初は、人の移動や接触を最低限に減らすなかで、テクノロジーによる感染の拡大を抑える対応がまったくできない状況だったというわけです。

たとえば、学校が休みになってもオンライン授業ができない。企業でもオンライン会議やリモートワークができないといった状況でした。これらの技術はいうまでもなく第4次産業革命によって急速に開発が進んできた技術です。

ただ、コロナ危機に直面したからこそ、日本が世界基準の第4次産業革命に後れを取っているということに気づかせてもらえたのです。

いままでの当たり前が当たり前ではなくなったことで、多くの企業や教育機関をはじめ、国全体が「このままではだめだよね。世界基準の第４次産業革命を推進しよう」と、やっと重い腰を上げて動き出したのです。

世界中で第４次産業革命が進行しているなか、日本の第４次産業革命はいわば周回遅れだったといえます。しかし、現在は半周遅れぐらいまで詰めてきたというのが私の印象です。

ジョブズが立てた未来を創造する仮説

ビジネスで大成功を収めたり、大きな利益を生むには、時に運や才能も必要なのかもしれません。もっといえば、

「たまたま立てた仮説がうまくいった」

「本能的にやってみたらうまくいっちゃった」

こんなことだってあるのが世の中だからです。

ですが、そうした運や才能とは縁がないけれど、それでも自分の力で少しでも未来を変えたいと考えているビジネスパーソンであれば、やはり仮説力を磨くに越したことはありません。なぜなら、**仮説というのは立て方によっては大きなイノベーションを起こす力を持っているからです。**

ここで一つ、そのよい例をご紹介しましょう。

多くの皆さんが使っているスマホの「iPhone」。これを世に送り出したのはいわずと知れたアップル社のスティーブ・ジョブズですよね。ジョブズによって２００７年に発表されたiPhoneですが、いったいどのようにして生まれたのか、ご存じでしょうか。

ジョブズがiPhoneをこの世に送り出すことができたのは運でしょうか、それとも才能でしょうか。私はこのどちらでもないと考えています。

ジョブズとは、「未来を創造するための仮説」を立てる天才だったということです。

仮説というと、皆さんはどうしても「未来を先読みする」「事前に予測を立てる」という観点から発想するものとお考えではないでしょうか。

ですが、仮説とは必ずしもそうではなく、**「世界がこの先こうなるから、こう変えられる」という立て方もある**のです。

ジョブズは当時のインフラ状況や最先端のテクノロジーなどを細かくリサーチしな

がら、「近い将来、携帯電話が情報にアクセスするための重要なデバイスになる」という仮説を立てたのです。

これこそが、**「未来を創造するための仮説」**なのです。

ジョブズのように、**世の中の状況を観察しながら現状を分析して、自分たちの持っている知識や技術を駆使しながら、「5年後、10年後にはこんなことができる」「だから社会をこんなふうに変えられる」と考える、こうした仮説の立て方もある**ということを皆さんにお伝えしたかったのです。

ジョブズは決して何かしらの未来を予見したわけではなく、彼の頭の中にある仮説、それをこのリアルな世界という制限の中でストーリーとして落とし込んでいき、実現していきました。

未来を創造するための仮説とは、未来がどうなるかという受け身ではなく、「未来

をこう変えることができる」という攻めの仮説だということです。これが、アップルを筆頭とした「GAFA」が世界的な企業にまで成長した要因でもあるのです。

未来を創造するための仮説について、もう少しだけ触れておきましょう。

なぜ、日本では「GAFA」のような世界的なIT企業が生まれないのか。これは長らく議論されているトピックです。

そこにはさまざまな理由があるとは思いますが、私は**多くの日本企業は「未来を創造するための仮説」ではなく、「未来を予測するための仮説」を立ててしまっているからだ**と推察しています。

では、なぜ未来を予測するための仮説ではいけないのか――。

それは、未来など誰にも予測できないからです。

冒頭で申し上げた通り、私たちは未来を予見できるわけでも、予言者でもありません。つまり、未来を予測するというのは「非科学的」だということになるわけです。

皆さんは驚かれるかもしれませんが、実は科学の世界にはある統計があって、**「科学技術の未来予測は8割外れる」**のです。

科学技術の世界では、仮説をもとにさまざまな実験や検証がなされているわけですが、それでも8割は間違った仮説を立てているということです。

「未来はこうなるだろう」と予測をするために仮説を立てるのではなく、**「未来をこう変えていくためにはどうすればいいのか」という意思のもと、そのためにはいま自分たちにどういう武器や道具が揃っているのか、クライアントや消費者のマインドはどうなのかということを深く考えて、次の1歩を踏み出す、あるいは次の1手を打っていくための仮説を立てるということが、仮説脳の本質なのです。**

同調圧力で優秀な人たちの究極の仮説を殺さない

仮説というのは、企業（組織）の規模が小さければ小さいほど構築しやすい性質を持っているというのが私の持論です。

これがどのようなことか、順を追って説明しましょう。

わかりやすい例でいえば、企業の事業計画があります。どんな規模の企業であっても、年度初めにはほぼ例外なく事業計画を立てると思います。

この事業計画というのは、まさにいくつかの仮説に沿って立てていくわけですが、ある程度まで企業の規模が大きくなっていくと、ある一定の方向に舵を切って事業計画を立ててしまっていることが多いといえます。

もちろん、どの企業も最初は小さな組織から始まるわけですが、やがて企業が成長し、大きくなっていくにつれて、ある指針に沿って事業計画が立てられると、みんなが何の疑いもなくそれに乗っかってしまうのです。

結果、どうなるか。

GAFAがここまで世界を席巻した要因である**「創造的イノベーション」**が起こりにくくなってしまいます。創造的イノベーションが起こせない企業には衰退しかありません。

もし、「いま、うちの会社は事業がうまくいっている」ということであれば、いまのうちから早めに「なぜ、この事業はうまくいっているのか」「この事業がうまくいかなくなる可能性はあるのか」といった仮説を立てて検証しておくことをおすすめします。

おそらく、うまくいっている事業というのも、ある仮説から始まっているはずです。

でも、うまくいっているときというのは、新たな仮説を立てることをやめてしまいます。

やがて、「業績が低迷してきた」「新しい事業を始めなければ」といったことに直面します。しかし、そのときになって事業計画の見直しや方向転換をするための新たな仮説を構築しようとしても、やたら時間がかかったり、周囲の圧力で事業の方向変換そのものが難しくなるというわけです。

これは船の舵取りと同じで、大きな船は進路を変えるために何百メートルも手前から舵を切らなければいけないので時間がかかりますが、小型の船であれば自由に小回りが利くので、あっという間に方向転換が可能だということです。

実際に、ＧＡＦＡでさえ最も活気があったのはベンチャーとして立ち上げたばかりの少人数のときで、当時の創業メンバーたちはそれこそ自由に仮説を投げ合っていたのでしょう。もしかすると、なかには突拍子もない仮説だってあったかもしれません。

それでも、「俺たちが世界を変えてやる」という大義のもとで、「究極の仮説」にたどり着けたのがＧＡＦＡだったということです。

「企業規模が大きいと究極の仮説は立てられないのか……」

そんなふうに思った方もいるかもしれませんが、悲観することはまったくありません。なぜなら、どんな大きな企業であっても、それは小さな組織の集合体であり、事業部単位、プロジェクト単位などの小さな組織であれば、創造的イノベーションを起こすような仮説の投げ合いができるからです。

重要なのは、企業における既得権益や同調圧力によって、優秀な人たちの立てる究極の仮説を殺さないことなのです。

日本でＧＡＦＡが生まれなかった理由として、別の視点からの仮説を提示したいと思います。それは単純に「ベンチャーが資金を調達できない」からだと私は考えています。

アメリカではベンチャーに投資する、いわゆるエンジェル投資家がいて、その巨大な資金がアメリカの企業の新陳代謝を支えています。でも、日本にはエンジェル投資家があまりいないのです。なぜでしょうか。

その理由は税制にあります。ベンチャーに投資しても、その多くは潰れてしまうので、本来は、なかなか投資の対象にはなりにくいのです。でも、ベンチャーに投資すれば節税になるのであれば、資金を投入する人も増えるでしょう。

アメリカをはじめとして、ベンチャーが大きく育っている国には、必ずといっていいほど、税制上の優遇措置があるのです。日本は、経済産業省がエンジェル税制をつくりましたが、財務省の抵抗が強く、なかなか実効性のある制度になりませんでした（私も利用したことがありますが、手続きも煩雑で、期間も短く、控除の金額も低く、多くのエンジェル投資家を呼び込むことはできませんでした）。

つまり、日本でＧＡＦＡが育たなかった理由の一つは、財務省の頭の古さにあった……。かなり有力な仮説だと思います。最近、ようやく控除金額の上限が引き上げられたようですが、時すでに遅しですよね。

イーロン・マスクは単なる「夢追い人」か？

「2035年までに人類を火星に移住可能にする」

「電気自動車（EV）を開発して地球温暖化を食い止める」

「日本はこのままだといずれ消滅する」

これらは、いま最も注目されている世界一の起業家、イーロン・マスクの発言です。

イーロン・マスクは、宇宙開発企業である「スペースX」や、電気自動車企業の「テスラ」、そして「PayPal」の前身である「X.com」の創設者として有名です。誰もが思いつかないような発想力と、GAFAと同じく未来を創造する能力に長《た》けており、世界一の資産家として2021年、人類未到の個人資産3000億ドル（36兆円）、企業でたとえるならば日本が世界に誇るトヨタ自動車の時価総額さえ上回りました。

そんな世界一の起業家ゆえ、その一挙手一投足が注目されますが、なかにはイーロン・マスクのことを、「夢追い人」「クレイジーな予言者」と揶揄《やゆ》する人も少なくありません。

では、イーロン・マスクはほんとうに単なる夢追い人、クレイジーな予言者なのでしょうか。それは彼の「思考法」をひも解くことで見えてきます。

イーロン・マスクは、もともとペンシルベニア大学で物理学と経済学を専攻していました。地球と経済がどのような仕組みで動いているかを学ぶことが目的だったようです。

その後、スタンフォード大学の大学院に進学して、高エネルギー物理学を学ぶはずが、たった2日在籍しただけで退学してしまいます。その理由は、ちょうどその頃にインターネットが急速に普及し始めており、ウェブサイトの開発などを支援するソフトウェアを新聞などのメディアに提案するアイデアがひらめいて、インターネットの世界に飛び込むことを決意したからです。

つまり、イーロン・マスクの思考の根底には、科学的な論理的根拠のようなものが存在していると考えていいでしょう。冒頭の発言にしても単なる予言ではなく、**確実に来る未来に対して危機感を持ちながら、「いまやるべきことは何であって、どのように未来を創造していけばいいのか」ということに対していくつもの仮説を誰よりも先に立てているのです。**

たとえば、「電気自動車（EV）を開発して地球温暖化を食い止める」という発言にしても、これだけ切り取ってみると単なる野望のように聞こえますが、ここにもしっかりとした科学的センスを垣間見ることができます。

現実問題として、天然資源には限りがあること、ガソリンによる二酸化炭素の排出によって環境に負荷をかけていることは根拠のある事実です。

多くの人が「まだまだ先の話だろう」と考えているなかで、イーロン・マスクは「いまから手を打っておかなければ地球温暖化を食い止められないだろう」という仮説を立て、それを事業計画に落とし込み、テスラの「秘密のマスタープラン」として実際に実行に移しているのです。

2006年にイーロン・マスクによって発表されたこのマスタープランは、計画通りに実現できれば、テスラが成功するだけにとどまらず、世界の自動車市場が一気に電気自動車に舵を切るに違いなく、これがイーロン・マスクの着眼点だったのです。

こうしたイーロン・マスクの〝目〟のつけどころには、やはり世界を席巻する究極の仮説が存在しているといえます。ただ、その究極の仮説があまりにも大胆なので、イーロン・マスクを「夢追い人」「クレイジーな予言者」と揶揄する人はついていけないだけなのです。

6Gの世界がどうなるのか、今のうちから仮説を立ててみる

通信業界における国家戦略の一つに「5G」がありました。

もはや説明するまでもありませんが、5Gとは「第5世代移動通信システム」のことで、日本では2020年春から商用サービスがスタートし、すでに次世代の通信インフラとして社会に大きな技術革新をもたらしています。

ところが、この5Gという国家戦略は敗北を喫したといえるのです。

その原因の一つに、各キャリアの5Gへの設備投資が遅れ、迅速かつ十分に基地局を設置できなかったことが挙げられます。

世界に目を向けてみると、2019年4月にアメリカと韓国で5Gの商用サービスが始まりました。続いてスイスやドイツなど欧州の多くの国々や中国、オーストラリ

アなど20近い国々が5Gの商用サービスを開始しており、世界的には2019年が「5G元年」だったからです。

そしていま、世界は早くも「6G」、さらにその先の「7G」の世界へと動き出しているのをご存じでしょうか。


6Gでは「高速・大容量」、「低遅延」、「多数接続」などの5Gの性能を、さらに改善していきます。「空・海・宇宙への通信エリア拡大」、「超低消費電力・低コストの通信実現」、「産業向け用途における超高信頼通信」など、新しい技術も期待されています。へき地や海上、宇宙空間でも、快適に通信できる可能性があります。

6Gの世界では、SF映画のような世界を体験できる可能性があります。たとえば、電話の相手が3Dでリアルに投影されたり、医療ロボットを使ったリモート手術が受けられたりすることなどです。現実と仮想空間が高度に融合した世界や、サービスの無人化も考えられます。

ロボットや3Dホログラムをアバターとして利用して、通勤や通学をする未来が訪れるかもしれません。

6Gは、2030年頃のサービス提供開始を目指しています。

2020年1月22日公開のNTTドコモの第6世代移動通信システム「6G」に関するホワイトペーパーによる情報です。

6Gの開始で、2030年代は以下のような内容が実現するといわれています。

●就労場所・時間の制約がなくなる
●モノ同士で機器の制御が行われ、高速・低遅延の通信が可能になる
●空や海、宇宙などあらゆる場所が通信エリアになる
●人の考え・行動がサイバー空間にリアルタイムで反映される

(「6Gや7Gで世界はどうなる？　5Gとの違い・新技術・実現する社会について徹底解説」peLBell編集部より引用)

そのために必要なのも、やはり仮説なのです。

まったく新しい次元の通信の環境ができたとき、間違いなくそこで大きく伸びるサービスが生まれます。つまり、先に述べたGAFAの事例にあった創造的イノベーションを起こすための仮説を駆使するということです。

2030年といえば、7年後です。あと7年もあると考えるのか、それともあと7年しかないと考えるのかは皆さん次第ですが、「7年後にはこう世界が変わるだろう。そのとき、自分たちはどんなことをするだろうか」という仮説を立てて、それを実現していく。それがこれからのビジネスのあり方になっていくような気がします。

いまの世界、そしてこれからの世界というのは、確実にデジタル化が進んでいきます。これは予言でも何でもなく、もうわかりきった事実です。

積極的にその波に乗っていかなければ、生存戦略における時代の勝者になることはできないのです。

私のフリースクールを狙ったカルト集団

私は、サイエンス作家としての活動のほかに、「未来のグローバル人材の育成」を掲げ、国語・英語・プログラミング言語のトライリンガル教育に力を入れる「ＹＥＳインターナショナルスクール」というフリースクールを設立し、運営しています。

そんな私のスクールで、ある事件が起きました。

ある朝、何気なくテレビをつけると、「サークルを装って大学生を勧誘するカルト集団がある」というニュースが流れていました。話によると、スポーツや音楽などの活動をビラ配布やＳＮＳで勧誘し、親しくなってから機会を見てカルト集団に誘い込むという巧妙な手口でマインドコントロールをおこなうといいます。

そのときは、「そんなことが大学で起きているのか。まあ、でも自分には関係ないか」

と他人事だったのですが、それから間もなくして私のスクールもカルト集団に狙われてしまったのです。

ある年の4月、新入生として入ってきたお子さんがいました。ところが、1週間だけ通って突然辞めてしまったのです。

たった1週間で辞めるというのは何かおかしいなと思ったのですが、その親御さんから私のスクールの探究学習の詳細なカリキュラムを印刷して渡してほしいといわれました。

ただ、邪険に断ることもできないので、「カリキュラムは部外秘なのでお渡しはできないのですが、閲覧だけだったら今ここでお見せしますよ」とお伝えすると、機嫌を損ねて帰っていきました。

それからしばらくして、私のスクールから車で5分ほどの場所に、新しいインターナショナルスクールが開校しました。ところがそこは、あるカルト教団が設立したスクールだったことを私は後で知ったのでした。

そのとき私は、あの朝にテレビで見た、大学でカルト集団の勧誘がおこなわれているというニュースを思い出したのです。

カルト教団は、社会不安に乗じて教勢拡大を図るのが常です。かつてのオウム真理教が顕著な例です。実際、コロナ禍という不安に乗じて信者を増やしているようです。

とはいうものの、カルト集団の勧誘がおこなわれているのは大学のような高等教育機関であって、うちのような小学校レベルのインターナショナルスクールまで浸食されることはないだろう。これが、朝のニュースを見た私がスクールの開校を知ったときに立てた仮説でした。

念のため、インターネットで検索をかけても、その教団やスクールの悪いニュースは一切出てきませんでした。これは後でわかったことなのですが、そうした悪いニュースは、ITに強い信者たちが削除したり、情報を書き換えるなどの編集をしていたようです。

結局、私のスクールの生徒だった数名が勧誘され、カルト教団が設立したスクールに転校していったのでした。

なぜ、わざわざこのようなエピソードをご紹介したかといえば、同じフリースクールを運営する方たちが私と同じような被害に遭《あ》わないように注意を喚起したかったこともありますが、何よりもカルト集団というのは皆さんのすぐ隣にいるかもしれないということをお伝えしたかったからです。

この点、私のイマジネーションの欠如も否めませんが、もし「うちのような小学校レベルのフリースクールもカルト集団に浸食されるかもしれない」という仮説を立てて、その対策をしっかりとおこなっていたら、違う結末が用意されていたかもしれません。

後から考えれば、大学もフリースクールも同じ教育機関ですから、カルト集団の勧誘があるかもしれないという仮説を立てるべきでした。そこが私の仮説力の甘さだったのかもしれません。

自転車の窃盗防止にも仮説力が大いに役立つ

ではここで、皆さんに問題です。
日本で最も多い犯罪はいったい何でしょうか。
正解は……「自転車の窃盗」です。

警視庁によれば、2021年の自転車の盗難で公的に認知された件数は全国で106585件。単純計算すると1日あたりなんと292台もの自転車が盗難の被害に遭っているという計算になります。
「私も自転車を盗まれたことがある」という人も多いのではないでしょうか。なかには、ロードバイクなど何十万円から百万円を超える自転車もあり、自転車は盗難のリスクと常に隣り合わせだということを念頭に置く必要があるわけです。
自転車の盗難と聞けば、繁華街や駅周辺の駐輪場などで発生するイメージがあるかもしれませんが、実は自転車盗難のリスクが最も高い場所は自宅だといいます。ちょっと信じがたい事実ですね。

警視庁発行の「自転車盗の防犯対策」という資料によると、東京都内における自転車盗のおよそ4割が「住宅」で発生しており、「駐車場や駐輪場」「道路上」がそれに続きます。
つまり、店先や駐輪場といった外出先での対策はもちろんのこと、自宅に自転車を保管する際にも油断は禁物であるということです。

（「日本で最も多い犯罪・自転車盗。7つの自衛手段と盗難被害に遭った場合の対処法」セキュリティ通信2021・7・23（so-net）より引用）

大事にしている自転車を盗まれないために、ここでもしっかりと仮説を立ててセキュリティ対策を練ってみてはいかがでしょうか。

ここまでの話を経て、次のように事実を整理してみます。

「１日あたりなんと２９２台もの自転車が盗難被害に遭っている」

「１日あたりおそらく１００人以上もの自転車泥棒がいる」

「およそ半数は自宅に駐《と》めてある自転車が狙われている」

こうした事実確認を経て、「もしかしたら自分の自転車も狙われるかもしれない」

という仮説を立てることができます。

では具体的に、どのようなセキュリティ対策をすべきなのでしょうか。

対策１　自転車から離れるときは短時間でも必ず施錠する

対策２　主錠の他に補助錠をつける

対策3　防犯カメラがある犯罪防止効果が高い場所に駐輪する
対策4　自宅の駐輪スペースに監視カメラや人感センサーを設置する
対策5　GPSトラッカーで追跡できるようにしておく

いかがでしょうか。

このように犯罪防止効果としても、しっかり仮説を立ててその対策を練っていれば、自転車の盗難被害を少しでも防ぐ効果が期待できるはずです。

自転車盗はほかの窃盗犯罪と比べて軽く捉えられがちですが、駐《と》めたはずの自転車が盗難に遭えば、経済的損失や精神的苦痛、日常生活に大きな支障が出てしまいます。

私自身もお気に入りの自転車を愛用していますし、自転車をお持ちの方はもちろんのこと、これから自転車を購入される方も、安心な自転車ライフを楽しむために、対策をしっかり練るに越したことはありません。

複雑系の数理に支配されている仮説は難しい

「富士山は、いつ噴火するのか？」

この問いに、皆さんならどんな答えを出すでしょうか。

「いつ噴火してもおかしくない」「そんな怖いこと考えたくない」など、答えはさまざまではないでしょうか。

いわずもがな、日本は活火山が集中する火山大国です。そのなかでも、いま最も皆さんが警戒している活火山が富士山ではないでしょうか。

実際に、2021年3月に「富士山噴火ハザードマップ」が17年ぶりに改定されました。この新しいハザードマップによると、富士山が噴火したときの被害がより広範囲にわたることがわかります。

「富士山は必ず噴火します。富士山は非常に若い活火山です。人間に例えたら10歳とか20歳ぐらい。これからもっと活発化すると思ったほうがいい」（「富士山噴火はいつ起こる？　噴火想定を徹底検証」明日を守るナビ（ＮＨＫ）より引用）

このように警鐘を鳴らすのは、火山の専門家である山梨県富士山科学研究所所長の藤井敏嗣《としつぐ》さんです。


ではここで、富士山の噴火の歴史を少しだけたどってみましょう。

富士山の最後の噴火はいまから約３００年前の江戸時代、１７０７年の「宝永大噴火」です。それ以降、富士山は噴火していません。

一方で、５６００年前から今までに噴火した回数は１８０回を超えていて、これを平均すると30年に1回は噴火していたことがわかっています。

つまり、最後の噴火からおよそ10倍の期間、富士山が噴火していないことを考えれば、富士山がいつ噴火してもおかしくないだけではなく、次に来る噴火は大きなものになる可能性があると、専門家である藤井さんは考えています。

ではいったい、いつ富士山は噴火するのでしょうか。これはいくら火山の専門家である藤井さんであっても予測することはできないのです。

なぜなら富士山の噴火を科学的に考えてみると、基本的概念として「複雑系の数理」に支配されているからです。**複雑系の数理とは、どんなに数値的な計算をしても精密な答えが出ない数学を意味します。**

たとえば、１本の鉛筆があったとします。その鉛筆の両端を持って2つに折ろうとぐっと力を入れれば、いずれ鉛筆は折れますよね。それは誰にでもわかるわけですが、いつどのタイミングで折れるかは精密な計算できない。これが複雑系の数理というものので、火山の噴火や地震も、こうした複雑系の数理に支配されているのです。

そう考えれば、富士山の噴火もピンポイントな予測はできないけれど、長期的な予測はある程度できる。それが今の科学技術の限界なのです。

そこで求められるのが仮説の力なのですが、こうした火山の噴火や地震といった複雑系の数理を相手にしたときの仮説構築は極めて難しい判断になるということは、皆さんもなんとなく想像できるのではないでしょうか。

そこで危機管理の一環として、「地震や噴火が、ある日突然起こるかもしれない」という仮説のもと、事前準備をしておく必要があるのです。

「備えあれば憂いなし」ではありませんが、事前準備として、たとえば防災用品や飲み水、非常用の食べ物などをリュックなどに入れておいたり、自宅から一番近い避難場所への道順を確認しておくのもいいかもしれません。

また、家族間の連絡方法、集合場所をあらかじめ決めておくのも大事なことです。

第4章

アルティメットな仮説を立てる条件

iPS細胞を作製した山中伸弥教授の発想力

続いては、仮説を立てるうえで極めて重要な「アルティメット」について述べていきます。アルティメットとはなんでしょうか。それはただひと言、「究極」を意味します。

仮説を立てるうえでのアルティメットとは、物事を深く突きつめて行き着いた「最終形態」といった意味を持ち合わせています。

ではなぜ、仮説を立てるうえでこのアルティメットが必要なのか。その答えはとてもシンプルです。

誰もが思いつく、誰もが立てられる仮説であれば、究極の仮説になど到達できないからです。

これまで述べてきた新型コロナのワクチンにせよ、スティーブ・ジョブズによって世に送り出された「iPhone」にせよ、誰もが思いつかないような仮説を立てて、それが大きな利益に結びついたのは、紛れもなくアルティメットな仮説だったからに他なりません。

私は、**「誰もが思いつかないような究極の仮説を生み出す」ことが、この厳しい世の中で生き抜く生存戦略になり得ると考えています。**逆をいえば、誰もが思いつくような仮説では生き残れないということです。

そして、物事を深く突きつめて行き着く、**究極の仮説を立てるうえで必要不可欠なもの、それは「発想力」です。**この発想力が欠如していては、究極の仮説を立てることも成功することもできないのです。

そこで、まずは科学の世界において究極の仮説によってブレイクスルーを起こした

・iPS細胞の作製事例をもとに、「発想力を鍛える方法」について解説していきます。

２００６年に京都大学の山中伸弥教授らは、世界初のｉＰＳ細胞の作製に成功し、２０１２年にノーベル生理学・医学賞を受賞。

ｉＰＳ細胞とは、細胞を培養して人工的につくられた多能性の幹細胞のことです。山中教授らは、ある遺伝子を組み込むことで、皮膚などに分化した細胞が、あらゆる生体組織に成長する万能な細胞をつくり出したのです。

これは、成熟した細胞を初期化する、つまり細胞の成長に要した時間を巻き戻すような画期的な発見であり、再生医療や創薬研究で実用化もはじまりました。

私は以前、山中教授にお話を聞く機会に恵まれました。ノーベル賞受賞の数年前で、そのとき私が一番伺いたかったのは、「どのようにしてｉＰＳ細胞の作製ができたのか？」ということでした。

最初のきっかけは、共同受賞者であるＪ・Ｂ・ガードン教授の実験であったといいます。動物の身体はもとは１個の受精卵で、分裂を繰り返して皮膚や心筋など特定の

【図 10】ｉＰＳ細胞は生命のタイムマシン

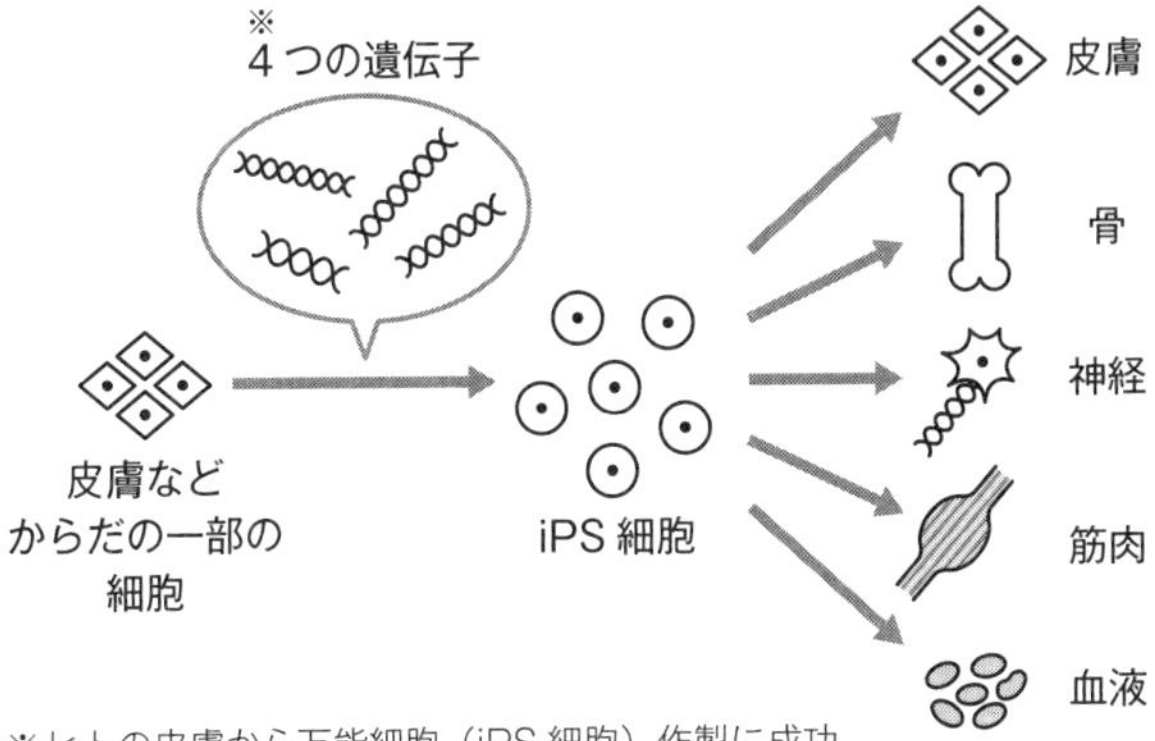

※ヒトの皮膚から万能細胞（iPS 細胞）作製に成功
当初は ４ つの遺伝子が使われていましたが、現在では ６ つの遺伝子やたんぱく質、化合物を使うなど、別の方法でも作製可能になりました。

出典：科学技術振興機構 HP より作成

形と機能を持った細胞に分化していきます。かつて、細胞は、この分裂の過程で必要のない遺伝子を失うと考えられていました。

ところが、ガードン教授は１９６２年に、オタマジャクシの元の核を壊した未受精卵に小腸の細胞という分化した細胞の核を移植しカエルに成長させたのです。それによって、丸ごと１匹のカエルをつくれる遺伝子が保存されていることを証明しました。

この実験結果から、山中教授は、「細胞は、生命のタイムマシンになるかもしれない」と仮説を立てました。

この仮説から、細胞をタイムマシンのように「リプログラミング（初期化）」するための遺伝子を探していきます。

山中教授のご両親は町工場を経営していたので、そんな環境で育った山中教授は、幼少期からプログラミングが得意だったそうで、自然とコンピュータを研究に駆使するようになります。そして、お弟子さんと一緒に、何万という有力な細胞から24個の細胞に絞り込み、検証結果に基づいて実験を繰り返し、万能細胞になると示しました。

発想から生まれた仮説がブレイクスルーに繋がっていく

山中教授にこうしたお話を伺って私が気づいたこととは、**「ブレイクスルーに繋がるような究極の仮説は、何もひとりの頭のなかだけで立てるのではないんだな」**ということです。たしかに、ひとりの人間が考えられる仮説には限界があります。

実際に、山中教授が立てた「細胞は、生命のタイムマシンになるかもしれない」という究極の仮説も、ガードン教授の実験や、遺伝子を解析をするコンピュータの開発者など、先人の知恵がうまく重なり合って生まれた発想の賜物《たまもの》だったというようなことをおっしゃっていたのが印象的でした。

その意味でいえば、情報化社会といえる現代というのは、昔よりも究極の仮説を立てやすい時代になっているのかもしれません。なぜなら、仮説を立てるうえで必要な先人の知恵や有力な情報がいとも簡単に手に入る時代だからです。

私が大学生だったころはネットすらありませんでした。

でも、今はあらゆる学術論文や科学論文がネットで簡単に手に入れることができます。公開されている内容によってはお金がかかるものもありますが、無料で公開されているものもある。論文とは、まさに世界に公開されている先人の知恵です。

今の時代のいいところは、あらゆる学術論文や科学論文がネットで簡単に手に入れることができることです。

もちろん、論文に限らずビジネスにとって有益な情報も、今は世界中にアクセスできます。ただ、こうしたあらゆる情報にアクセスできる、いわば情報過多の時代に求められるのが**「情報の目利きになる」**ということです。

「どこに、どんな情報を取りにいくのか」

これは、情報過多の時代を生き抜く私たちの至上命題だといえます。それができなければ、やはり究極の仮説を立てるための発想に到達できません。

山中教授の例にしても、やはりどのデータベースを使って遺伝子解析をすればいいのか、という正しい取捨選択ができなければ、研究は進まなかったでしょう。山中教授がｉＰＳ細胞の研究論文を書いたときは、ヒトゲノムの情報はすでに公開されており、誰でもアクセスできたわけですが、そこに目をつけて解析をして、細胞のリプログラミング（初期化）に関わる遺伝子を絞っていこうという発想をした人はいなかったわけです。

これはアカデミックな世界だけでなく、ビジネスシーンにおいても同じことがいえます。いかにして自分が取り組む仕事における有益な情報に到達するか。

その**情報とアイデアを掛け合わせて発想というものは生まれてきます。そうした発想から生まれた仮説こそがブレイクスルーに繋がっていくのです。**

このように、仮説を立てるには、いろいろな可能性に思いを巡らせながら、多くの人が気づくことができない発想を持つことが必要です。

誰もが常に頭の中でいくつもの可能性を仮説として立てながらシミュレーションしているわけですが、医学の世界においても、たとえ山中教授のような優秀な医学者でも、ゼロからiPS細胞を発見することはできなかったでしょう。つまり、**仮説を立てる過程で必要なのは、先人の知恵と情報を掛け合わせることによる発想力だったの**です。

不便さや不自由さから発想力は生まれる～ルービックキューブ誕生秘話

「必要は発明の母」

これは、偉大な発明家として名を残したトーマス・エジソン（１８４７～１９３１年）の言葉としてよく知られています。ですが、本来はイギリスの小説家、ジョナサン・スウィフト（１６６７～１７４５年）が著書『ガリバー旅行記』の中で使った言葉で、**不便さや不自由さなどから必要に迫られると、新しい発想や発明が生まれるという意味です。**

私たちが何気なく見過ごしてしまっている、日常のなかの不便さや不自由さを我慢するのではなく、「解消するために何かいい方法はないだろうか」という気持ちを大事にすることが新しい発想を生み出すことにつながります。そんなエピソードを一つご紹介したいと思います。

コロナ禍の巣ごもり需要によって、2020年に再ブームとなったものの一つに「ルービックキューブ」があります。

日本でも1980年に発売されるとたちまち大ブームを巻き起こし、40年を経た今もなお、私を含め多くの人に楽しまれている、世界で最も有名な立体パズルです。

この立方体のパズルの誕生は、1974年にまで遡《さかのぼ》ります。生みの親はハンガリーで建築学の教授だったエルノー・ルービックさんです。

当時、ルービック教授は学生たちに難しい三次元幾何学を教えることに苦労していました。三次元幾何学とは、三次元の空間における図形などについて研究する幾何学であり、これを学生たちにわかりやすく理解させるために何かいい方法はないかといつも考えていました。

「教材として木製の立方体をつくってみてはどうか」

この仮説のもと、ルービックキューブの原型となる木製立方体が完成しました。この教材のおかげで、学生たちはみるみるうちに三次元幾何学を理解するようになっていきました。それと同時に、ルービック教授はこの立方体の持つ可能性を模索し始めました。

「教材としてだけではなく、みんなが楽しめるものになるのではないか」

これが結果として、ルービック教授の人生を変える究極の仮説となったわけです。この仮説によって、木製立方体のそれぞれの面に違ったカラーリングを施し、回転できる仕組みにして発売されたのがルービックキューブの始まりです。

ルービック教授は、当初「マジック・キューブ」という名前で特許を取得しました。そして、１９８０年にヨーロッパやアメリカなどで、「ルービックスキューブ」として発売されると、異例の大ヒットを記録したのです。

このサクセスストーリーから、ここで皆さんに次のような出題をしたいと思います。ぜひ考えてみてください。

なぜルービックキューブが世界中で大ヒットしたのか？

ヨーロッパの小さな国で生まれたルービックキューブがどのようにして世界的大ヒット商品になったのか。これを皆さんに考えてほしいのです。

世界的大ヒットとなったルービックキューブ。ところが、当然のように模倣品が出回ってしまいました。通例であれば、特許を取得しているルービック教授は訴訟を起こして、模倣品が世に出回らないように策を講じるところでしょう。ところが、ルービック教授は訴訟を起こすどころか、規制すらしなかったのです。

では、なぜルービック教授は模倣品を規制しなかったのか。私はルービック教授の立てた究極の仮説に答えがあるのではないかと考察しています。

「みんなが楽しめるものになるのではないか」

ひとりでも多くの人が楽しめるようにするためには、世界中で模倣品が出回ってもしょうがない。いや、むしろ多くの人が遊べるのならそれでいいではないか。これがルービック教授の願いだったのかもしれません。

「損して得取れ」ではありませんが、結果的に模倣品が出回ったことによって世界中にルービックキューブの存在が知れ渡ったのです。仮にも、ルービック教授が特許を盾にして模倣品に規制をかけていたら、これほどまで世界に認知されなかったかもしれません。

２０００年代になると、「スピードキューブ」として完成までのタイムを競う大会が世界中で開かれるようになり、現代にいたりますが、競技者のほとんどは模倣品を使っているのです。

図形や数学の問題を解くことで発想力は磨かれる

仮説を立てるうえで必要な発想力をアップさせるにはどうすればいいのでしょうか。

私が常々提唱していることがあります。それは、**図形や数学の問題を解け**ということです。

たとえば、図形の面積を求める問題であれば、どうすればこの面積は求められるのだろうかという問題の定義から始まって、いくつかの仮説を立てていくわけです。

そこから、具体的には補助線をどう引くかなどと試行錯誤するわけですから、まさに仮説の構築と同じ発想力が求められるのです。

ではここで、例題をつくりましたので、ぜひ解いてみてください。

【図 11】三角形の面積を求める図形問題

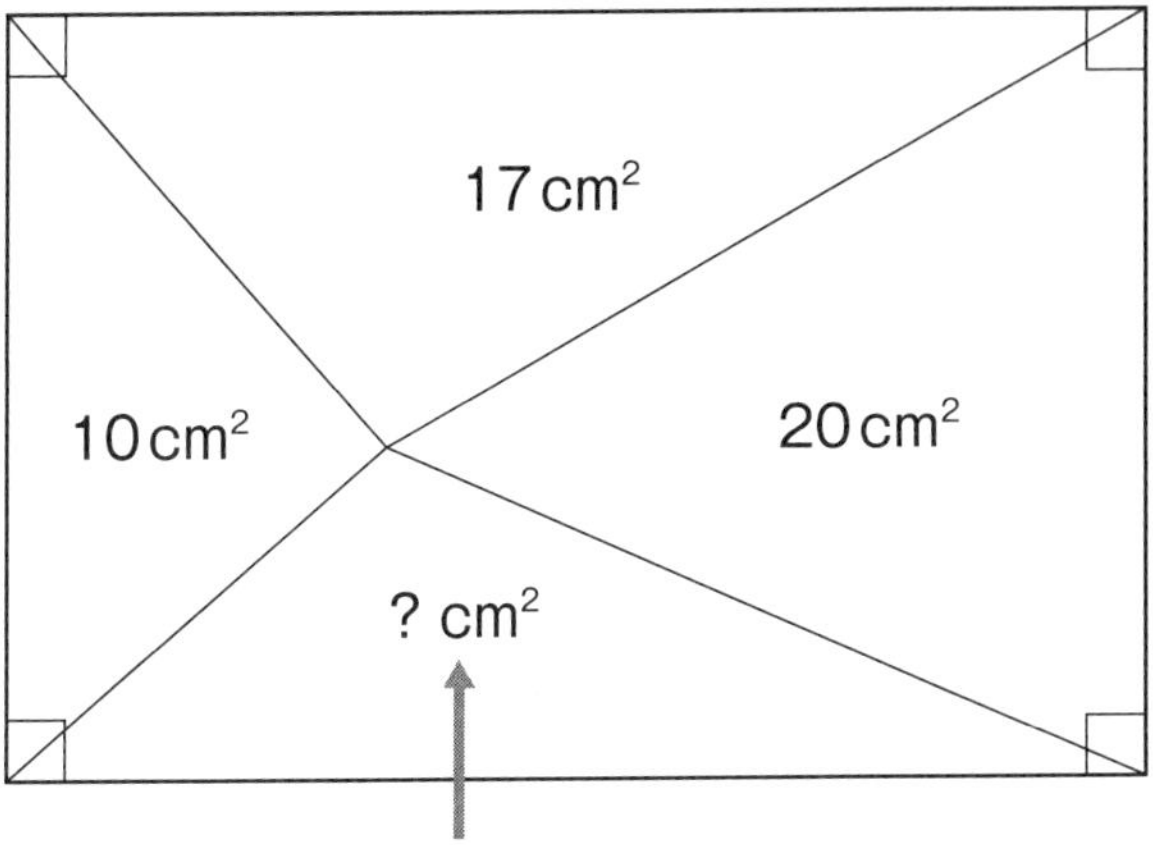

※論理的に考えてもらうため、図形は正確に描いてあるとは限りません

いかがでしたでしょうか。

一見すればごく簡単に見える図形問題ですが、「あれっ？」と戸惑った人もいるのではないでしょうか。この問題がトリッキーなのは、底辺の長さも三角形の高さもわからないというところです。

皆さんが知っている三角形の面積を求める公式は、「底辺×高さ÷２」ですよね。でも、底辺の長さあるいは三角形の高さがわからないのでこの公式は使えないということになります。ここで、ちょっとした発想力が必要になってくるのです。

では、このように発想を変えてみてくだ

さい。

底辺の長さもわからない、高さもわからない。ではどのように面積を求めればいいのでしょうか。

10㎠の三角形と20㎠の三角形の面積を足すと30㎠になります。これは長方形の面積の半分になります。なぜなら、三角形の公式の底辺×高さという部分を長方形の縦×横と読み替えればいいからです。

同様に、17㎠の三角形と面積を求めたい三角形との合計の面積も、長方形の面積の半分なので30㎡です。

つまり、答えは13㎠ということになります。


続いてもう一問、チャレンジしてみてください。

「1＋2＋3＋4＋5＋……＋100を計算してみましょう」というものです。

この計算では、単に1から順に100まで足していくという方法では発想力は鍛え

【図12】1＋2＋3＋4＋5＋……＋100の和を求める計算問題

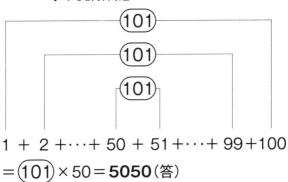

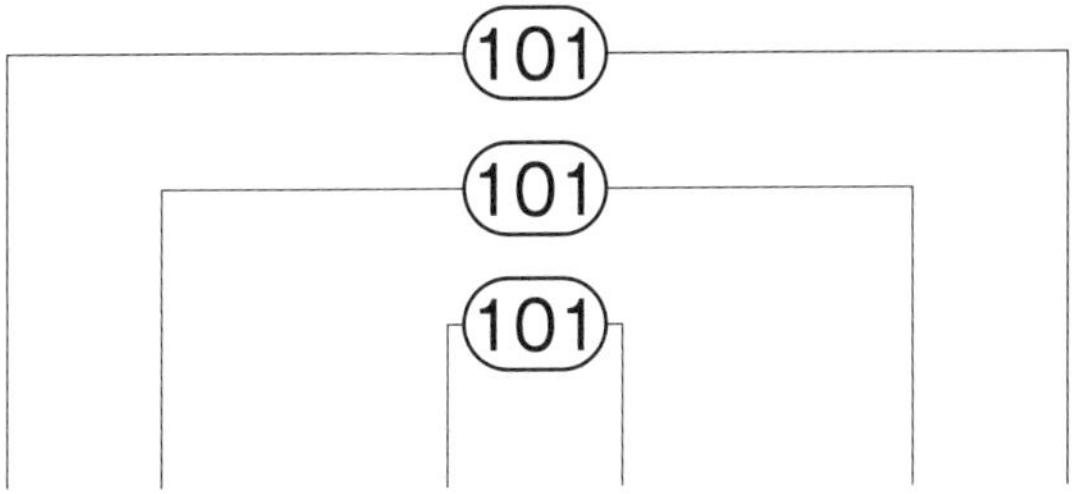

1 ＋ 2 ＋・・・＋ 50 ＋ 51 ＋・・・＋ 99＋100

＝101×50＝**5050**（答）

られません。

　この足し算は有名な**「ガウスの方法」**というものです。ドイツの天才数学者ガウス（１７７７〜１８５５年）が小学校の２年生のとき、算数の授業で「１から１００までの数字すべてを足すように」と課題を出された際に、単純に１から１００までを足していくのではなく、図のように１と１００の和である１０１が５０個あるという発想で、瞬時に答えを出しました。

　こうしたアプローチは、まさに仮説を立てるうえでの発想力を鍛える方法として私はおすすめしているのです。

楽しみながら発想力を鍛えよう

「どうも数学は苦手で……」

そのような人でも、あきらめる必要はまったくありません。どうせなら楽しみながら発想力を鍛えたいという方のために、ここでいくつかの発想力の強化法を伝授したいと思います。

私が発想力を磨くトレーニングとしていまも実践しているのが、趣味であるカメラを持ってどこかに出かけるということです。なぜなら、写真を撮る行為には、発想力をアップさせる要素が多く詰まっているからです。

特段、いいカメラを持っていなくても、スマホのカメラでじゅうぶんです。外を散歩しながら写真を撮ってみてください。

すると、普段見過ごしてしまっている場所に、すごくいい光景があったりすることに気づけます。このような光景は、意識を向けなければ単なる風景に過ぎません。きっと大多数の人が見過ごしてしまうでしょう。でも、写真でその光景を切り出そうとした瞬間に、構図やボケをどうすればいいか？　という仮説脳が働きはじめるのです。

つまり、**発想力というのは、人々が大抵は気づかない、あるいは無視してしまう「これは何だろう?」を見つけることから始まっていくことがある**ということです。

私はこれまで、数多くの成功者たちに話を聞いてきましたが、世の中で成功している人たちは、**「みんなが見過ごすようなところにビジネスチャンスは転がっている」**とおっしゃっていたのが印象的でした。やはり、世の中の成功者や大発見ができる科学者に共通するのは、多くの人が見過ごしている「これは何だろう?」に気づくことができる視点があるということなのです。

【図 13】 RPGで発想力を鍛える４ステップ

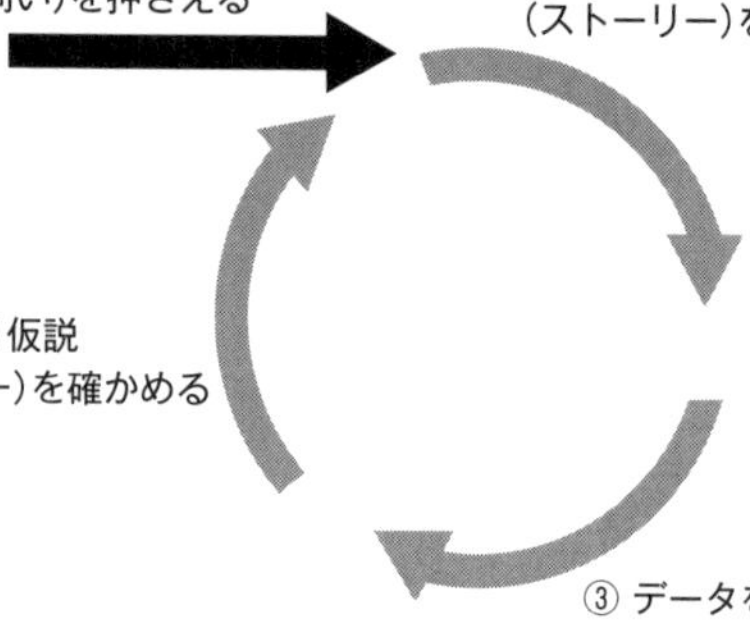
①目的（問い）を押さえる
② 目的に対する仮説
（ストーリー）を立てる
③ データを収集する
④ 分析により仮説
（ストーリー）を確かめる

その他にも、発想力を鍛えるために私がおすすめしたいのが**ロールプレイングゲーム（RPG）**です。

意外と思われるかもしれませんが、RPGは仮説を立ててプレイしていくことが求められます。なぜなら、RPGの魅力は試行錯誤の連続にあるからです。

ストーリーに沿って仮説を立て、前に進む、前に進めなくなった場合にはまた別の仮説を組み立てて検証や解決策を練りながらクリアへと向かうからです。また、RPGは机の上でする学校の勉強だけではなかなか身につかない「リスクを取る」ということも同時に磨いてくれるのです。

続いておすすめしたいのが、**推理（ミステリー）小説を読むこと。**

推理小説の醍醐味は、何といっても犯人が仕掛けるトリック探しにあるのではないでしょうか。難事件を解決するために名探偵が仮説を立てながら事件を解決へと導いていきます。

推理小説には、そうしたトリックが実に巧妙に仕込まれています。そうしたトリックを読み解いていくと、発想力が身につくのと同時に、洞察力や情報収集力も身につけることができます。

そして最後におすすめしたいのが、**お風呂での考え事**です。

皆さんは、お風呂に入っているときに何を考えているでしょうか。おそらく、何も考えていない人はいないのではないでしょうか。きっと何かしらのことを考えているはずです。

明日の仕事のこと？　週末の予定？　あるいは将来のこと？　実にいろいろなことを考えているもの。そうした考え事というのは、ある意味で頭のなかでシミュレーションしながら仮説を立てているわけです。

こうした脳内シミュレーションをすることによって発想力が磨かれるとともに、記憶の整理にもつながるので、いいアイデアを見つけたり、抱えている問題の解決の糸口を見つけたりすることができます。

このように、日常の生活のなかでも、楽しみながら発想力を養うことができるのです。

自分がいかに「思い込み」に縛られているかをチェック

思い込みや常識偏重、先入観といった思考癖は誰にでもあります。

これらは、究極の仮説を立てるための発想力の大きな妨げになります。なぜなら、こうした思考癖によって、結果としてみんなと同じような仮説しか立てられなくなってしまうからです。

何より、**大きな成功を勝ち取ってきた人というのは、こうした思い込みに縛られず自由な発想をした人たち**だということです。

とはいうものの、私たち人間というのは、どうしても思い込みで判断をしたり、先入観に捉われてしまったりする思考癖があります。これは仮説を立てるうえでほんとうに厄介な存在です。

「自分には思い込みなんていっさいない」

そんな人はどれくらいいるでしょうか。

そこで、皆さんがどれほど思い込みや常識にとらわれているのか、次のチェック項目を使って簡単なチェックをしてみましょう。

□単純な作業が好きである
□他人の意見にすぐに同調する
□問題発見や問題解決をするのが苦手である
□うまい話にすぐ飛びついてしまう
□「普通は」「一般的に」という言葉を多用する

いかがでしたでしょうか。

もし、自分が3つ以上の項目に当てはまるという人は、思い込みや常識に支配されている可能性が高いといえるでしょう。

究極の仮説を立てるうえで、誰もが思いつかないような発想ができるかどうかは、**「いかに常識を打ち破れるか」**にあります。

そのためには、思い込みや常識などにとらわれないことが必要で、それはすなわち大勢の人と同じ仮説を立ててしまうことから脱することになるのです。

では、そうした大勢の人と同じ仮説を立ててしまうことから脱するにはどうすればいいのでしょうか。それには簡単でいい方法があります。それは、**何かをするときにはあえて人と真逆のことをやってみる**ということです。

これは皆さんも感じていることかもしれませんが、世の中の成功者たちは、どこかで普通の人たちと違う考えや行動をしています。つまり、イノベーションを起こすような成功者というのは、「みんなと同じ」や「過去と同じ」では満足できないのです。

ただし、やみくもに人と違うことをすればいいというわけではなく、**「本当に大切**

な考えや行動に集中する」ということが大事になってきます。

ビジネスにおいては、いままでと同じことを何度も繰り返し、同じ結果しか得られていないのであれば、いままでとは違う結果を得るために何か違うことができないかを考えてみる必要があります。

人と違うことや、いままでと違うことに目を向けるということを繰り返しているうちに、人とは違う仮説を立てることができるようになっていきます。

大勢の人と同じ仮説から脱するためには、ただ机に向かって何かを考えているだけではゴールが見えてきませんし、たどり着けません。人とは違う考えや行動の変化といった要素を日常の中に投入していくことが大切です。それによって思考のペースが変えられ、究極の仮説を生みだすための発想力が身についていくのです。

思い込みが仮説を立てるうえでどれほど天敵になるか

ここで一つ、科学的な事例を紹介したいと思います。

以前、資生堂グローバルイノベーションセンターの研究者である傳田光洋《でんだみつひろ》さんにインタビューをしたときのことです。

「私たち人間の皮膚は、電気を発していない」

これは、一般的に常識とされていることです。ところが、傳田さんはある仮説を立てたのです。

「人間が感じる〝殺気〟とは、皮膚がつくる電場である」

私は傳田さんからこの仮説を聞いたとき、「そんなこと、常識的に考えてあるわけない」と思いました。

ところが傳田さんは、殺気を感じるというのは気のせいでも超能力でもなく、皮膚の危険察知能力であり、いわば興奮状態にある人の皮膚は電場をつくり、それを近くにいる人が感じ取るのが殺気と呼ばれているものだというのです。ゆえに、一流のスナイパー(狙撃者)や忍者などはそうした電場をつくらないよう、つまり殺気を感じられないように精神状態を平静に保っているのだと。

にわかには信じられないような話でしたが、それからずっと傳田さんの話について私なりに科学的に検証したところ、殺気を物理学的に説明しようとすれば、確かに電場以外では説明できないのです。

そしてもう一つ、傳田さんの立てた仮説で興味深かったのが、**「皮膚や表皮にも、耳と同じように音楽を聴く仕組みがある」**というものです。

人間の聴覚はすべて耳によるもの。これが私たちの一般的な考え方です。

ところが、傳田さんは「皮膚、表皮もまた音波を感知しているのではないか」というのです。

たとえば、ライブコンサートに行ったときとＣＤで聴いたときとでは音の周波数が違います。ＣＤの場合には通常耳には聞こえない高い周波数はカットしてしまっているのですが、ライブコンサートではＣＤでは味わえない高い周波数があるのです。ライブコンサートに行ったことがある人は理解できるかもしれませんが、ライブコンサートには何か独特の高揚感のようなものがありますよね。では、その高揚感をどこで感じているのかといえば、これも皮膚で感じていると傳田さんは仮説を立てたのです。

そして、いざ検証したところ、高い周波数の音が表皮において何らかの生理的変化を起こし、それがさらにホルモンレベルや脳波に作用している可能性を突き止めたのです。（傳田光洋『驚きの皮膚』（講談社）を参考）

これは少し余談になってしまうかもしれませんが、傳田さんに話を伺うときに、最初にある実験を体験させていただきました。

それは、目の前に小さい板が出てきて、「ここと、ここと、ここの３カ所を触って、違和感があるのはどれでしょう」というものでした。

私が触ってみると、真ん中に少し違和感がありました。実際に、そのときの答えは真ん中だったのですが、何と深さが1ミクロン（1ミリメートルの1000分の1）の溝が彫ってあるというのです。

傳田さんによれば、「女性であれば100パーセント、言い当てられます」とのことです。なぜなら、女性は普段から髪の毛のキューティクルを感じられるからだそうです。ほとんどの男性は感じ取れないそうですが、私は珍しく例外のようです。

いやはや、傳田さんは、皮膚の専門家ではなく、化粧品会社の研究者だからこその着想に富んでいると感じました。

同じ科学畑で生きる私としても、いかに自分の思い込みや固定観念が仮説を立てるうえで天敵になるのか、非常に勉強になるインタビューとなったのです。

第5章

仮説を補強するチームコミュニケーション

違う立場の人間が集まって仮説を立てていく

いよいよ最後の章では、仮説をより補強するための「チームコミュニケーション」について解説していきます。

個人の力で有力な仮説を構築していくのは、実際はとても難しいことなのかもしれません。なぜなら、それができるような人こそが、世間でいう大きなことを成し遂げた「成功者」と呼ばれているような人だからです。

私は**もし個人で有力な仮説が立てられないということであれば、チームをつくって有力な仮説へ近づけていくことが有効な方法だと考えています。**

そこで、チームで仮説を立てていくうえで大事なポイントとして、まず挙げたいのが**「違う立場の人たちが集まって仮説を立てる」**ということです。

チームで仮説を立てる場合、同じ地位やキャリア、同じ思考パターンの人だけで集まって議論をしていても、結局は同じような仮説しか生まれず、究極の仮説に到達することは、なかなかできません。

そこで、たとえば役員会のなかに新入社員を入れてみる、あるいは男性ばかりのチームに女性を入れてみるといった状況をつくり出すことで、いつもと違う驚きの発想やアイデアが出てくるはずです。

こうした、**違う立場の人たちが集まって仮説を立てていくことで相対的な仮説がどんどん生まれていき、その検証を繰り返すことで仮説がどんどん補強されていきます。**

これは、化学の世界における「化学反応」に似ています。

化学の世界では、同じ物質を混ぜ合わせているだけでは当然ながら新たな化学反応は起きません。化学反応を起こすためには別の物質を混ぜることが必要になります。

さらには、**チームで立てた仮説をより具現化するための方法として、「仮説のディベート」を用いて仮説を補強していくことが効果的でしょう。**

ディベートとは、ある主題について異なる立場に分かれ議論することですが、この仮説のディベートで重要なのは、年齢や肩書き、キャリアなどは関係なく全員が対等な立場でおこなうというルールを決めておくことです。このようなルールのもとで仮説を検証していくことで究極の仮説に近づくことができます。

なぜ、このようなルールで仮説を立てていくことが重要になってくるのでしょうか。

よくあるケースですが、「イエス」をいうばかりの人を集めた上司に忖度するようなチームでは、たとえ間違った仮説を立ててしまってもそのまま十分な検証もせずに進んでしまい、結果として失敗してしまうことが多いからです。

やはり、**仮説の補強には反対意見をいってくれる人がいることが必要です。**ときには社長の意見にも「ノー」といえる人から、思わぬ仮説が生まれるかもしれません。

仮説を補強するための科学的根拠を持つ

「自分が立てた仮説がすぐに却下されてしまう」

チームで仮説を立てるとき、このような悩みを抱えている人も少なくないようです。

いくら素晴らしい仮説を立てても、それをしっかりと相手に伝えたり、仮説を共有できなければ、意味がありません。

たとえば、自分が立てた仮説を上司に説明したり、あるいはクライアントに向けてプレゼンをしたりする場面もあると思います。こうした、**相手を説得する場面において大事なのは、科学的根拠に基づいた過去の数字や統計データを活用しながら仮説を補強していく**ということです。

たとえば、日本のエネルギー問題を議論するとしましょう。

エネルギー資源の乏しい日本は、そのほとんどを海外からの輸入に頼っています。そんな日本が抱えるエネルギー問題の一つとして、化石燃料への依存の高さが挙げられます。

化石燃料の価格は国際的な政治や経済的要因によって変動していくので、化石燃料への依存度が増すと、それらの多くを輸入に頼っている私たち日本人は、価格変動の影響をまともに受けてしまいます。

最近では、２０２２年2月のロシアによるウクライナ侵攻によって原油や天然ガスの価格が急騰しました。日本では、燃料価格が高くなると、そのまま電気代やガス代、ガソリン代の値上げへとつながるため、「電気代やガス代、ガソリン代が高騰して家計が圧迫された」という人も多いのではないでしょうか。

では、ここからケーススタディです。

　こうしたエネルギー問題をどう解決するのか。チームで自由に意見を出し合ってみてください。

「原子力発電に頼ってみればどうか」

　たとえば、このような仮説を立てたとします。すると、きっと誰かが次のような反対意見を出すのではないでしょうか。

「原子力発電はリスクが大きい。ドイツも脱原発に踏み切ったではないか」

　こうした意見が出るのは、やはり福島の原発事故があったからでしょう。ただ、これは仮説ではなく、あくまでも感情論です。そこで、「原子力発電に頼ってみればどうか」という仮説を、こんな感じで補強してみてはいかがでしょうか。

「まず、２０００年代には35～25％程度で推移していた原子力発電の割合が、２０１１年の福島の原発事故を受けて激減しました。２０１２年度以降は０～６％程度の極めて低い値になり、２０２１年度でも７％です」（電源調査統計などから環境エネルギー政策研究所作成の資料による）

「2021年の電源別発電量のうち、火力発電の占める割合は72・9％で、火力発電のなかでの化学燃料が占める割合は、液化天然ガス41・2％、石炭47・2％、石油2.0％と、実に全体の90・4％にものぼっています」（関西電力グループ）。

「原子力発電の激減により、このように化石燃料による火力発電に頼らざるを得なくなっているわけです。ただ、火力発電は国際情勢によって急激な価格変動が起こりやすいこと、CO_2の排出量が多いこと、そして有限な資源であるから、このまま使い続けていれば、いずれなくなるときがやってくるという問題が浮かび上がります」

「そう考えれば、原子力発電には発電時にCO_2を排出しないこと、さらには燃料費が変動してもコストに与える影響は小さいというメリットがあります。エネルギー供給の安定性と経済性を維持するための対策としては、原子力発電に頼ることは悪いことではないはずです」

【図 14】電源別発受電電力量の推移

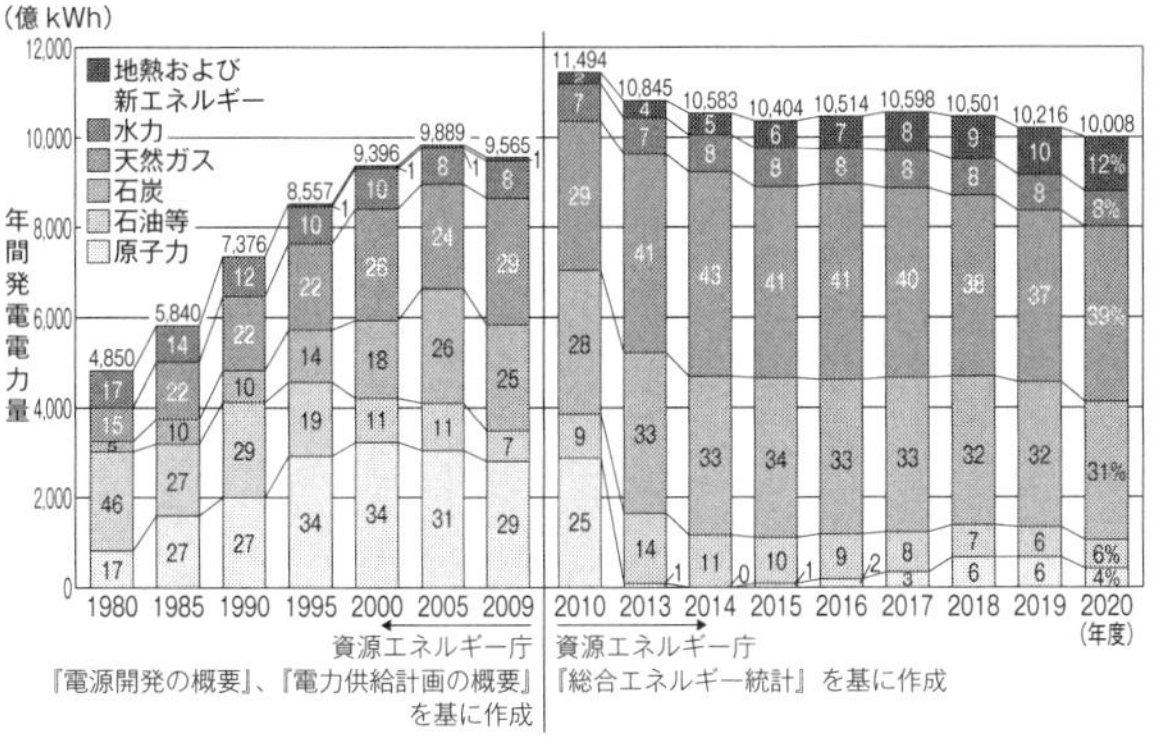

（注）石油等には LPG、その他ガスおよび青質混合物を含む
四捨五入の関係で合計値が合わない場合がある
グラフ内の数値は構成比（%）

出典：資源エネルギー庁『エネルギー白書 2022』より作成

ディベートなので、再生可能エネルギーの将来的な展望を中心に論じてもいいと思います。さらには、ドイツの試みが失敗した場合には隣国フランスから原子力で作った電気を買う余地があること（セーフティネット）など、現実的な議論を深めていくべきでしょう。

最終的に原子力と再生可能エネルギーの共存という仮説が有力になるかもしれません。可能性をデータに基づいて論ずるのが仮説の立て方の基本です。

仮説に根拠のない線引きをしない

会議などでチームが仮説を立てていくとき、大部分の人が無意識のうちにやってしまっていることがあります。それは、**「仮説の線引き」**というものです。

私はこれまで多くのビジネスパーソンたちと仕事をしてきましたが、どんな仕事であれ、仕事というのは本当に多くの仮説によって成り立っているんだなと実感しています。

だからこそ、気づいたことがあります。それは、自分たちの限界を勝手に決めつけて、「できない」という仮説の線引きをおこなってしまっているということです。

「こんな大きなプロジェクトは、こんな少人数ではできないだろう」

「これだけの予算では、クライアントの満足するものはつくれないだろう」

「なぜ、勝手に限界を決めて仮説を立ててしまうのか」。なんら根拠なく、適当に仮説の線引きをしてしまう行為は、自由な仮説脳の対極にあります。

過去の成功体験や失敗事例を参考にするのは大いに結構なことですが、定説が定説のままでは仮説は生まれないのです。逆に、こうした定説を覆していくものこそが究極の仮説だということです。

では、このような根拠のない線引きによる「限界」を打ち破るにはどうすればいいのでしょうか。それは、チームや自分に秘められた可能性についての仮説をいくつも立ててみるということです。

- **これがチームや自分の限界であると誰が証明したのか**
- **みんながいう常識や通例、過去の実績にとらわれていないか**
- **「できない」理由ではなく「できる」可能性を探しているか**

ということをまずは念頭に置いてみるのです。

このような考えのもと、みんなで仮説を立てていくことで、究極の仮説に近づく可能性が出てきます。

何ら根拠がなく、できないという仮説の線引きをしなかったからこそ、成功した事例はたくさんあります。

たとえば、私が知っているある広告会社で、新人社員を中心としたプロジェクトチームが発足したときのことです。

周りのチームや役員たちは、そのチームに対して「君たちはまだ新人だから、プロジェクトを成功させるのは難しいだろう。先輩チームのやることをよく見て勉強したほうがいい」という線引きをして接したのです。

ところが、当の本人たちは、「自分たちならあんなこともできるかもしれない」「こんなこともやってみる価値はあるよね」というポジティブな思考の持ち主ばかりだったため、自分たちの可能性に勝手な線引きをすることなく、さまざまな広告を企画してクライアントに提案した結果、何と会社の営業成績でトップを記録してしまったのです。

つまり、「まだ新人のチームだから」という勝手な線引きには何の根拠もなかったのです。

私もサイエンス作家として活動していますが、本をつくる作業はまさにチームでの仕事になります。そのようなとき、編集者やデザイナーとしっかりと時代のトレンドをつかみながら、売れる仮説を立てるように心がけています。

「こういうテーマだったら読者の共感を得られる」

「こういう類書は未だかつてないから、挑戦してみる価値がある」

そのような意気込みでつくった本がベストセラーになったことがありました。

結局のところ、「○○だから●●できないだろう」という勝手な線引きは世の中にたくさんあるのですが、これらのほとんどに根拠がないのです。

何ら根拠がないにもかかわらず、過去の体験や思い込み、チームで仮説を立てる際の大多数による同調圧力に支配されてしまっているだけなのです。

まずはメリットやプラスの仮説を立てていく

仮説に線引きをしないということを述べましたが、チームで仮説を立てるときに必ずといっていいほど出てきてしまう問題があります。それはデメリットやマイナスの仮説ばかりを主張してしまう人がいることです。

私たち人間には防衛本能というものがあります。ですから「この仮説で失敗したらどうしよう」という、どうしてもデメリットやリスクばかりを気にして自分の立場や評価を守ろうとしてしまうことも理解できます。

ですが、**チームで仮説を立てるうえで大事なのは、まずはメリットやプラスの仮説を立てる**ということです。

最初からデメリットやリスクを考えてしまうと、有力な仮説までもが棄却されてしまう恐れがあります。また何よりも、メリットやプラスの仮説を立てるほうがチームの士気があがっていき、チームの議論も活発化するからです。

そこで、まずはメリットやプラスの仮説だけを立てていき、最終的に実行に移す前にあらゆるデメリットやリスクを相対的に考えていくという順序で進めていくことをおすすめします。

「そんなこと、いわれなくてもわかっている」

そう思ったあなたこそ要注意です。なぜなら、頭のなかだけで考えている思考というのは、自然とマイナスの方向に向かいやすい性質があるからです。つまり、仮説を立てるときには一度頭の中から外へ出してあげることが有効な方法なのです。これを**「ポジティブ仮説のアウトプット」**といいます。

たとえば、自社のデジタル化が他社に比べて遅れている。そこで、どのような方向性で初期投資をするといいのかを考えるとき、次のようにメリットのある仮説を立てて書き出してみるのです。

メリットのある仮説１　〇〇〇だから〇〇〇できるかもしれない
メリットのある仮説２　△△△だから△△△というメリットが考えられる
メリットのある仮説３　□□□だから□□□やってみる価値はある

こうしたメリットやプラスの仮説を立てた後、デメリットやリスクマネジメントといった仮説を立てて検証していく議論を重ねていけばいいのです。

それによって、チームでポジティブな仮説を立てる思考を身につけることができるようになり、必然的に仮説の取捨選択もスムーズにできるようになっていくことは間違いありません。

仮説を理解するための質問力を磨こう

相手が立てた仮説をしっかり理解するために必要な能力。
それは「質問力」です。

当たり前の話ですが、人によって知識や情報の量には差があります。相手がもし自分より多くの知識や情報を持っていたら、自分には理解できないという場合があるものです。

そこで必要になってくるのが、相手の立てた仮説を理解するために質問をすることです。これは、相手とのコミュニケーションを深めていく意味でも重要なポイントとなってきます。

「質問をする」というのは、チームコミュニケーションを図るためだけでなく、実にさまざまな場面で問われている能力だといえます。

阿川佐和子さんの『聞く力』という本がベストセラーになったのも、この質問力という能力がいまの時代に求められているからだと考えれば合点がいきます。

相手に質問をするということは、実は皆さんが思っている以上に仮説を補強するエネルギー源になります。実際に私の周りを見渡しても、有力な仮説を立てる人ほど質問の質がとても高いと感じます。

もし、チームの誰かが立てた仮説が理解できない場合、相手がいかにあなたの知識や経験、さらには情報の質・量に合わせて理論的に話し合えるかが重要になってきます。だからこそ、この質問力が鍵になるというわけです。

では、どのようにして質問力を身につけていけばいいのでしょうか。

質問というやり取りには必ず、「相手の立てた仮説をある程度理解している」という前提があります。そこで、事前に議論する内容について知識や情報を蓄積しておくことが肝要です。

たとえば、新商品を開発する会議でチームがいくつかの仮説を立てたとしましょう。

そうした場合、たとえば相手が立てた仮説で自社の既存の技術やノウハウを活かすことができるのか、根強いファンを抱えるブランド商品であれば、既存商品をリニューアルした場合に固定客を引き継ぐことができるのか、といったことを事前にしっかりとリサーチしておくと質問しやすいでしょう。

そのうえで、市場規模や成長性、競合他社のシェアや自社の強みと弱みなどについて質問していき、仮説を補強していくというわけです。

それでも、相手の立てた仮説が自分には理解できないということであれば、「もっとわかりやすく説明していただけませんか」と正直に伝えることです。これができないと、いつまでたってもわからないまま議論が進んでいってしまうからです。

仮説を相手に伝える熱意

ここまで、チームで仮説を立てていく際に必要なことを解説してきました。

この章の最後は、自分が立てた仮説を相手に伝える**「熱意」**について述べたいと思います。


人間というのは、いうまでもなく感情で動く生き物です。

これまで、科学的根拠や理論的といった言葉を並べてきましたが、相手も頭の中では理解できるものの、自分の本意ではない仮説を押しつけられれば、どうしても感情的に反発してしまうものです。

そう考えれば、**チームで仮説を立てていくうえで最後に重要になるのは、自分の仮**

説にいかに相手が共感してくれるかということなのです。

これは、ビジネスに限ったことではありません。いくら論理で滔々《とうとう》と相手を説得しようとしても、相手が納得しないこともあるのです。だからこそ、共感を得るために最後に必要になってくるのは、仮説を伝える熱意なのです。

せっかく苦労してつくり上げた仮説も、どれだけ熱意を持って相手に伝えることができているか、ということが重要になります。

ただし、ここで注意しなくてはいけないことが２つあります。

一つは、相手を説得したいがために自分の仮説を相手に押しつけるようなことではいけません。**あくまでもチームで同じ目的を達成するためという意気込みや熱心な気持ちを持って仮説を共有してみてください。**

そしてもう一つが、**相手に自分の熱意を伝えたいという気持ちからでも、決して仮**

説を歪曲してはいけないということです。

特にありがちなのが、自分の立てた仮説に自信がないときや、変に相手を説得してやろうと目論んだときです。

そうした押しつけや歪曲ではなく、熱意を持って相手に真正面から自分の立てた仮説を伝えればいいのです。

最後に、データや論理や情熱を相手に伝える際の決め手である「表現」について一言。

最近の高校の国語科目には「論理国語」などの他に「国語表現」があります。教科書の目次を開いてみると、「書いて伝える」「自己PR」「メディアを駆使する」「ショートスピーチ」といった見出しが目につきます。国語表現は、現代社会で求められるスキルなのです。

仮説脳へいたる最後のアドバイスとして、**「表現力を磨く」**ことをおすすめしたいと思います。まずは、国語表現の教科書や参考書で勉強してみてください。

せっかくの「究極の仮説」を他の人々にわかってもらい、実行に移せるよう、伝える表現を工夫してみてください。そうすれば、あなたの未来は大きく動き出すに違いありません。

おわりに　生きている限り何度でもチャレンジできる！

最後までお読みいただき、ありがとうございます。

仮説の立て方次第で物事がうまくいったり、いかなかったり……。

これは誰もが経験していることではないでしょうか。いくら考え抜いても、いくら工夫をしても、ダメなときはダメということがあるのが世の中の厳しさ、難しさでもあるからです。

この本を執筆しながら、仮説というものをあらためて考えたとき、**行きつく先は未来の「最適化」ではないか**というのが私が出した結論でした。

人生であらゆるものを最適化していくその先に未来があるのだと。

最適化ができた人には明るい未来が待っており、できなかった人は競争に負けていくという「原理原則」はある程度正しいのかもしれません。ただ、そうでない場合もあるのです。私の人生もそんな連続だったような気がしています。

「東大に入れば、お金を稼いで楽ができるだろう」

これは当時、高校生だった私が立てた仮説です。

科学や数学が好きだった私ですが、それでも「東大で法律を学ぼう」と決意した背景には、あるロールモデル的な人の存在があったからです。

それは私の大伯父でした。

私の大伯父は神戸大学の法学部を出て日銀に入り、その後大和証券の副社長に就任した人ですが、いつも羽振りがよかった大伯父を見て、「これこそ人生の成功パターンだろう」という仮説のもと、東大の法学部に入ったのはいいのですが、すぐに現実を思い知ることになります。

法律の授業というものが自分に向いてないということがすぐにわかりました。しかも、私が学生の時代というのは、いまとは比べ物にならないほど司法試験の合格が難しかったのです。東大の法学部は1クラス30人ほどで、司法試験に現役で合格できるのはたった1人という狭き門だったのです。

そこからは、自分が好きな物理を勉強するために理学部物理学科に転部したのです。その後、カナダの大学院博士課程に進学しました。でも、「世界に出ると、こんな天才がいるのか……」ということを痛感させられます。物理学者として一流になる人たちというのは、そもそも思考のセンスの次元が私のような凡人とはまるで違ったのです。気がついてみたら、私はサイエンス作家としての道を歩み出していました。

私の就活エピソードから皆さんに学んでほしいのは、**たとえ自分が立てた仮説によって未来が最適化できなくても、たとえ自分の計画通りに物事が進まなくても決してあきらめず、また新たな仮説を構築していってほしい**ということです。

今回の新型コロナによって多くのビジネスがうまくいかなくなったり、廃業に追い込まれてしまったりしたのもそれに近いというのが、私が感じていることです。

本来であれば最適化されていたビジネスも、コロナに直撃されてしまったことによって、それまでの最適化が足元から崩れていってしまったのです。

しかし、生命とビジネスの違いとして、生命の場合は一旦絶滅してしまえばそこで終わってしまいます。でも、ビジネスの場合はもう一度、いえ、何度でも最適化を目指して突き進めるわけです。

これまで環境に適応できてビジネスを最適化してきたあなたは、生存戦略のための仮説を立てる能力に優れていると考えていい。だから自信を持って仮説を立て、再チャレンジしてほしいというメッセージで筆をおきたいと思います。

私の口述を文章表現にしてくれ、引用・参考資料をまとめてくれた出版プロデューサーの神原博之さんと、週末も校正作業をしてくれたリベラル社の伊藤光恵さんに御礼申し上げます。

竹内　薫

第２章

百貨店　衰退の理由
https://www.sbbit.jp/article/cont1/58875

デジタルカメラ戦争
https://www.newsweekjapan.jp/stories/business/2018/09/post-10892.php

６次の隔たり理論
https://kotobank.jp/word/6 次の隔たり -189252

トヨタ自動車　水素自動車
https://news.yahoo.co.jp/articles/0a916acbc630caba4c2c9fd1aa3fe73631b34e10
https://xtech.nikkei.com/atcl/nxt/column/18/00878/070500030/

カール販売終了
https://qa.meiji.co.jp/faq/show/4301?site_domain=default
https://nlab.itmedia.co.jp/nl/articles/1705/26/news091.html
https://www.huffingtonpost.jp/2017/05/25/karl-meiji_n_16798910.html

第六感
https://diamond.jp/articles/-/149393?page=2
https://tabi-labo.com/127300/six-sense

第３章

新型コロナパンデミック
https://kadobun.jp/feature/interview/9yhcdzonav40.html

人類の絶滅危機
https://gigazine.net/news/20080425_extinction_70000_years/

ワクチン
https://vaccine-science.ims.u-tokyo.ac.jp/vaccine/

仮説脳　参考文献

竹内薫著『知的生産のための科学的仮説思考』（日本能率協会マネジメントセンター）
竹内薫著『ブレイクスルーの科学者たち』(PHP 新書）

はじめに

生存戦略
https://www.jamstec.go.jp/sp2/column/04/

第１章

第４次産業革命
https://www5.cao.go.jp/keizai3/2016/0117nk/n16_2_1.html
https://www.salesforce.com/jp/blog/2020/12/fourth-industrial-revolution.html
https://jp.weforum.org/agenda/2020/10/korona-ga-suru-4-kono-ga-ni-meru-6tsuno/
https://workhappiness.co.jp/blog/ceo/ceo2201_industry_1/
https://www.upr-net.co.jp/info/iot/4ir.html

自動化される職業、生き残る職業
https://president.jp/articles/-/54591
https://www.axismag.jp/posts/2015/03/53502.html
https://www.jnews.com/business/digest/2015/017.html

自動運転
https://gendai.media/articles/-/50859
https://jidounten-lab.com/autonomous-level
https://www.zmp.co.jp/knowledge/ad_top/info/level
https://digital-shift.jp/flash_news/s_201109_2
https://staff.persol-xtech.co.jp/hatalabo/mono_engineer/568.html

トヨタの自動運転技術
https://newswitch.jp/p/34590

アマゾンゴー
https://www.fashionsnap.com/article/2021-02-28/166744/
https://xtrend.nikkei.com/atcl/contents/18/00727/00001/

https://www.eiken.co.jp/modern_media/backnumber/miscellaneous/686/

必要は発明の母
https://meigennavi.net/word/03/036805.htm

ルービックキューブ
https://business.nikkei.com/atcl/gen/19/00290/071300012/
https://kowasekeishin.com/rubikcube-history/
https://www.megahouse.co.jp/rubikcube/history/

数学問題
https://passnavi.evidus.com/article/study/201806_02/

RPG で発想力を鍛える
https://mba.globis.ac.jp/careernote/1008.html

皮膚で音楽を聴く
https://dot.asahi.com/webdoku/2015081000005.html?page=1

傳田光洋著『驚きの皮膚』（講談社）

第５章

エネルギー問題
https://looop-denki.com/home/denkinavi/energy/powergeneration/energyissue/#:~:text

この本を制作するにあたり、口述筆記にインターネットから得たさまざまな情報を付随させてご紹介しています。引用と本文が混ざらないよう留意し、剽窃チェッカーもかけておりますが、引用とすべき箇所が曖昧になっている等、お気づきの点がございましたら編集部までお知らせください。重版時に訂正させていただきます。

子宮頸がんワクチン
https://www.eiken.co.jp/modern_media/backnumber/miscellaneous/686/

コロナ禍倒産企業件数
https://www.tdb.co.jp/tosan/covid19/index.html

スーパーコンピュータ「京」の開発
https://style.nikkei.com/article/DGXMZO69707370V00C21A3000000/
https://ddnavi.com/news/704375/a/

iPhone 誕生のキッカケ
https://ja.wikipedia.org/wiki/IPhone%E3%81%AE%E6%AD%B4%E5%8F%B2

イーロンマスク
https://www.itmedia.co.jp/business/articles/2111/05/news032.html

桑原晃弥著『イーロン・マスクとは何者か』（リベラル社）

6G や 7G で世界はどうなる？
https://prebell.so-net.ne.jp/tips/pre_22101802.html

カルト
https://www.oit.ac.jp/japanese/topics/news.php?id=8677
https://diamond.jp/articles/-/249019

日本で最も多い犯罪・自転車盗
https://securitynews.so-net.ne.jp/topics/sec_20148.html

富士山の噴火
https://www.nhk.or.jp/ashitanavi/article/2791.html

第 4 章

iPS 細胞
https://www.chugai-pharm.co.jp/ptn/bio/genome/genomep06.html
https://www.nikkei.com/article/DGXNASGG2301A_T21C12A0000000/

[著者プロフィール]

竹内薫（たけうち　かおる）

理学博士。サイエンス作家。YES International School 校長。

1960 年東京生まれ。東京大学教養学部、理学部卒業、マギル大学大学院博士課程修了。

科学ジャンルで発信を続け、小説、エッセイ、翻訳などを中心に 200 冊あまりの著作物を発刊。

主な著書に『99.9%は仮説～思い込みで判断しないための考え方』（光文社新書）、『教養バカ ～わかりやすく説明できる人だけが生き残る』(SB 新書)、『素数はなぜ人を惹きつけるのか』(朝日新書) など多数。訳書に『WHAT IS LIFE ？ 生命とは何か』（ダイヤモンド社）、『超圧縮 地球生物全史』（ダイヤモンド社）がある。

出版プロデューサー　神原博之（K.EDIT）
装丁デザイン　大前浩之（オオマエデザイン）
校正　土井明弘
DTP　ハタ・メディア工房
編集人　伊藤光恵（リベラル社）
営業　津村卓（リベラル社）
制作・営業コーディネーター　仲野進（リベラル社）

編集部　鈴木ひろみ・尾本卓弥・中村彩・安永敏史
営業部　澤順二・津田滋春・廣田修・青木ちはる・竹本健志・持丸孝・坂本鈴佳

リベラル新書 004

AI時代を生き抜くための　**仮説脳**

2023年5月27日　初版発行

著　者　竹内　薫
発行者　隅田　直樹
発行所　株式会社 リベラル社
〒460-0008　名古屋市中区栄3-7-9　新鏡栄ビル8F
TEL 052-261-9101　FAX 052-261-9134
http://liberalsya.com
発　売　株式会社 星雲社（共同出版社・流通責任出版社）
〒112-0005　東京都文京区水道1-3-30
TEL 03-3868-3275
印刷・製本所　株式会社 シナノパブリッシングプレス

　ISBN978-4-434-32010-1　C0230